*MELHORES
POEMAS*

João Cabral de Melo Neto

Direção
EDLA VAN STEEN

MELHORES
POEMAS

João Cabral de Melo Neto

Seleção
ANTONIO CARLOS SECCHIN

© Rodrigo Cabral de Melo, 2009

10ª Edição, Global Editora, São Paulo 2010
3ª Reimpressão, 2014

Diretor Editorial
Jefferson L. Alves

Gerente de Produção
Flávio Samuel

Coordenadora Editorial
Dida Bessana

Assistentes Editoriais
Alessandra Biral
João Reynaldo de Paiva

Revisão
Cláudia Eliana Aguena

Capa
Victor Burton

Editoração Eletrônica
Neili Dal Rovere

Dados Internacionais de Catalogação na Publicação (CIP)
(Câmara Brasileira do Livro, SP, Brasil)

Melo Neto, João Cabral de, 1920-1999.
 Melhores poemas João Cabral de Melo Neto / Antonio Carlos Secchin [seleção e prefácio] – Edla van Steen [direção] – 10. ed. – São Paulo : Global, 2010. – (Coleção Melhores Poemas).

Bibliografia.
ISBN 978-85-260-1470-1

1. Poesia brasileira. I. Secchin, Antonio Carlos. II. Van Steen, Edla. III. Título. IV. Série.

10.01864   CDD-869.91

Índices para catálogo sistemático:
1. Poesia : Literatura brasileira   869.91

Direitos Reservados

Global Editora e Distribuidora Ltda.

Rua Pirapitingui, 111 – Liberdade
CEP 01508-020 – São Paulo – SP
Tel.: (11) 3277-7999 – Fax: (11) 3277-8141
e-mail: global@globaleditora.com.br
www.globaleditora.com.br

Obra atualizada conforme o **Novo Acordo Ortográfico da Língua Portuguesa**

Colabore com a produção científica e cultural.
Proibida a reprodução total ou parcial desta obra sem a autorização do editor.

Nº de Catálogo: **1622**

Antonio Carlos Secchin nasceu no Rio de Janeiro, em 1952. É doutor em Letras e professor titular de Literatura Brasileira da Universidade Federal do Rio de Janeiro, além de professor visitante de várias universidades estrangeiras – na França, em Portugal, na Itália e na Venezuela. Ensaísta, poeta e ficcionista, autor de nove livros. Suas publicações mais recentes são: *Poesia e desordem* (ensaios, 1996), *João Cabral de Melo Neto: a poesia do menos* (segunda edição, 1999), *Todos os ventos* (poemas reunidos, 2002) e *Escritos sobre poesia & alguma ficção* (2003). Seu livro sobre João Cabral ganhou o concurso nacional de ensaios do INL/Ministério da Educação e Cultura em 1985 e o Prêmio Sílvio Romero da Academia Brasileira de Letras em 1987, e foi considerado pelo próprio poeta pernambucano como o mais importante estudo consagrado à sua obra. Sobre a poesia e o ensaísmo de Antonio Carlos Secchin escreveram, entre outros, Benedito Nunes, José Guilherme Merquior, Eduardo Portella, Alfredo Bosi, Antônio Houaiss, Sergio Paulo Rouanet, José Paulo Paes, Ivo Barbieri, Ivan Junqueira e Fábio Lucas. Em 2004, foi eleito para a cadeira 19 da Academia Brasileira de Letras.

UMA INTRODUÇÃO A JOÃO CABRAL

1) Alguns dados biobibliográficos

João Cabral de Melo Neto nasceu no Recife, em 9 de janeiro de 1920. Passou a infância no interior de Pernambuco e estudou em colégios religiosos. Em 1945 ingressou na carreira diplomática. Os diferentes lugares em que serviu são descritos em vários de seus poemas, destacando-se, no entanto, a Espanha como a terra estrangeira com que o poeta estabeleceu vínculos mais fecundos. Três de seus livros foram impressos nesse país.

Seu texto de maior êxito popular é *Morte e vida severina* (1955), já traduzido para o alemão, o espanhol, o francês, o inglês e o italiano. Levado à cena por um grupo de São Paulo, conquistou o primeiro prêmio do Festival Universitário de Nancy, em 1966.

Foi membro da Academia Brasileira de Letras, eleito por unanimidade em 1968, ano em que publicou a primeira edição de suas *Poesias completas*. Inúmeras teses universitárias e livros têm sido escritos sobre sua obra, e o consenso crítico o situa, ao lado de Manuel Bandeira e Carlos Drummond de Andrade, como um dos pontos culminantes da poesia brasileira do século XX. Em 1992, ganhou o prestigioso Neustadt International Prize for Literature, da Universidade de Oklahoma. Faleceu no Rio de Janeiro, em 9 de outubro de 1999.

2) A obra

Para o leitor acostumado à lírica de tradição romântica, nada mais inusitado do que a poesia deste autor tão avesso ao confessionalismo, à saturação subjetiva de suas mensagens. Sua obra, centrada no objeto, se guia pela contenção e economia verbal.

O primeiro livro, *Pedra do sono* (1941), é também o mais atípico. Nele predomina uma atmosfera surrealista, visível no encadeamento de imagens logicamente díspares, nas reiteradas alusões ao mundo onírico, numa certa passividade frente às forças misteriosas do poema, que acabam por obstruir a faculdade crítica do poeta.

Depois de uma incursão no poema em prosa (*Os três mal-amados*, 1943), João Cabral volta ao verso em *O engenheiro* (1945). Agora, ao lado de traços remanescentes do livro de estreia, começa a predominar um ideal de rigor, de ordenação tão consciente quanto possível dos elementos linguísticos que se articulam no texto.

A preocupação com uma poesia voltada ao combate contra o acaso se torna cristalina em *Psicologia da composição* (1947), importante texto da linha metalinguística, espécie de "arte poética" a ser "concretizada" em poemas explicitamente referenciais.

O cão sem plumas (1950) descreve, com alta concentração imagística, a passagem do rio Capibaribe na cidade do Recife. Por sua linguagem antidiscursiva, o enfoque da pobreza nordestina escapa do tom panfletário a que tantas vezes o social foi submetido, antes e depois de João Cabral.

Em *O rio* (1953), o poeta cede a voz ao próprio Capibaribe, que, sujeito da enunciação, narra seu percurso, da nascente ao Atlântico. A dicção mais prosaica desse poema encontra suas raízes na literatura popular do Nordeste e na épica medieval espanhola. Ultrapassando uma captação meramente geográfica da paisagem, a primazia será concedida à realidade humana que a povoa. Mais tarde, tal realidade ascenderá à condição inconteste de protagonista, em *Morte e vida severina* (1955), auto de Natal que registra o combate entre as forças vitais e o impulso à destruição que convivem no herói Severino. Fugindo do Sertão, o herói se depara seguidamente com paisagens em que a morte exerce seu império, devido às injustiças sociais que marginalizam os camponeses nordestinos – e este tema, aliás, ainda reaparecerá, de forma cáustica, em livro de 1960, *Dois parlamentos*.

Paisagens com figuras (1955) representa o primeiro grande momento "espanhol" na obra cabralina. A Espanha está presente em dez dos dezoito poemas do livro, em visível convivência com o espaço nordestino – ambos unidos em torno da secura, da aspereza, do vazio. Com o Outro-Espanha, João Cabral articula o Próprio--Pernambuco, e o jogo de aproximações é estabelecido por uma ótica implacável na rejeição do pitoresco e do "turístico".

Radicalizando a poética da depuração exercitada em *Psicologia da composição*, João Cabral escreve, em 1955, *Uma faca só lâmina*, longo poema de 88 estrofes de quatro versos (a quadra é o tipo de estrofação preponderante em sua obra). É texto altamente conceitual, elaborado em torno de três elementos – faca, bala, relógio – de que são extraídas, como proposta ético-existencial, as noções de agressividade, carência e interiorização obsessivas, vistas como armas frente à diluição empobrecedora do dia a dia, como contundência frente ao torpor e à alienação.

Em *Quaderna* (1959) e *Serial* (1961), o poeta retoma a convergência Espanha-Nordeste, a que acrescenta outros temas até então inexpressivamente representados em sua produção. Assim, *Quaderna* introduz o motivo feminino, mas numa captação primordialmente plástica e erótica, desprovida de qualquer sentimentalização.

A educação pela pedra (1965) se distribui entre "temas pernambucanos" e temas diversos". Nesta obra, o poeta adota o verso longo e permutacional – os mesmos versos podem estar presentes em mais de um poema.

Museu de tudo (1975), como o título indica, é reunião de textos bastante heterogêneos, e que compõem, no conjunto da obra cabralina, o momento de maior tematização metalinguística, sem que ela atinja, todavia, a originalidade de textos anteriores.

Em seguida, João Cabral publicou, exclusivamente com temática pernambucana, *A escola das facas* (1980), inovando no comparecimento ostensivo da primeira pessoa do singular, num memorialismo de que excluiu quaisquer traços de autocomplacência.

Auto do frade (1984) é vigorosa recriação dos momentos finais vividos pelo mártir Frei Caneca, num pano de fundo histórico reconstituído por ampla e minuciosa pesquisa documental efetuada pelo poeta.

Agrestes (1985), além das recorrentes paisagens de Pernambuco e Espanha, acrescenta à geografia poética de Cabral as até então escassamente representadas África e América hispânica. Paralelamente a esses novos territórios, percorridos nas andanças diplomáticas do embaixador, e transfigurados em "lições de forma" no verso do poeta, intensifica-se a presença da morte, com frequência tratada em registro satírico e irônico.

Crime na calle Relator (1987) é conjunto de poemas narrativos que privilegiam o anedótico, a peripécia curiosa, num horizonte voluntariamente prosaico e "pedestre", em que a história miúda se infiltra como antídoto contra a sublimidade do poético.

Finalmente, *Sevilha andando* (1989) faz convergir o amor à cidade e o amor à mulher, em particular a Marly de Oliveira, segunda esposa do poeta, e a quem ele atribuía todas as qualidades da mulher sevilhana.

Pela coerência inquebrantável de um projeto sistemático de obra, desenvolvido a contracorrente de modismos ou concessões, e que faz dele um caso ímpar em nossas letras, João Cabral de Melo Neto representa, na poesia em língua portuguesa, a mais consequente conjugação de uma prática poética simultaneamente aberta à comunicação e a um elevado grau de elaboração e consciência formal.

Antonio Carlos Secchin

POEMAS

PEDRA DO SONO
(1940-1941)

"*Solitude, récif, étoile...*"
Mallarmé

POEMA DE DESINTOXICAÇÃO

Em densas noites
com medo de tudo:
de um anjo que é cego
de um anjo que é mudo.
Raízes de árvores
enlaçam-me os sonhos
no ar sem aves
vagando tristonhos.
Eu penso o poema
da face sonhada,
metade de flor
metade apagada.
O poema inquieta
o papel e a sala.
Ante a face sonhada
o vazio se cala.
Ó face sonhada
de um silêncio de lua,
na noite da lâmpada
pressinto a tua.
Ó nascidas manhãs
que uma fada vai rindo,
sou o vulto longínquo
de um homem dormindo.

MARINHA

Os homens e as mulheres
adormecidos na praia
que nuvens procuram
agarrar?

No sono das mulheres
cavalos passam correndo
em ruas que soam
como tambores.

Os homens têm espelhos de bolso
onde os gestos das amadas
(as amadas demoradas
se repetem).

Vi apenas que no céu do sonho
a lua morta já não mexia mais.

POESIA

Ó jardins enfurecidos,
pensamentos palavras sortilégio
sob uma lua contemplada;
jardins de minha ausência
imensa e vegetal;
ó jardins de um céu
viciosamente frequentado:
onde o mistério maior
do sol da luz da saúde?

A ANDRÉ MASSON[1]

Com peixes e cavalos sonâmbulos
pintas a obscura metafísica
do limbo.

Cavalos e peixes guerreiros
fauna dentro da terra a nossos pés
crianças mortas que nos seguem
dos sonhos.

Formas primitivas fecham os olhos
escafandros ocultam luzes frias;
invisíveis na superfície pálpebras
não batem.

Friorentos corremos ao sol gelado
de teu país de mina onde guardas
o alimento a química o enxofre
da noite.

O ENGENHEIRO
(1942-1945)

"... machine à émouvoir..."
Le Corbusier

AS NUVENS

As nuvens são cabelos
crescendo como rios;
são os gestos brancos
da cantora muda;

são estátuas em voo
à beira de um mar;
a flora e a fauna leves
e países de vento;

são o olho pintado
escorrendo imóvel;
a mulher que se debruça
nas varandas do sono;

são a morte (a espera da)
atrás dos olhos fechados;
a medicina, branca!
nossos dias brancos.

A BAILARINA

A bailarina feita
de borracha e pássaro
dança no pavimento
anterior do sonho.

A três horas de sono,
mais além dos sonhos,
nas secretas câmaras
que a morte revela.

Entre monstros feitos
a tinta de escrever,
a bailarina feita
de borracha e pássaro.

Da diária e lenta
borracha que mastigo.
Do inseto ou pássaro
que não sei caçar.

O ENGENHEIRO

A luz, o sol, o ar livre
envolvem o sonho do engenheiro.
O engenheiro sonha coisas claras:
superfícies, tênis, um copo de água.

O lápis, o esquadro, o papel;
o desenho, o projeto, o número:
o engenheiro pensa o mundo justo,
mundo que nenhum véu encobre.

(Em certas tardes nós subíamos
ao edifício. A cidade diária,
como um jornal que todos liam,
ganhava um pulmão de cimento e vidro).

A água, o vento, a claridade,
de um lado o rio, no alto as nuvens,
situavam na natureza o edifício
crescendo de suas forças simples.

A MESA

O jornal dobrado
sobre a mesa simples;
a toalha limpa,
a louça branca

e fresca como o pão.

A laranja verde:
tua paisagem sempre,
teu ar livre, sol
de tuas praias; clara

e fresca como o pão.

A faca que aparou
teu lápis gasto;
teu primeiro livro
cuja capa é branca

e fresca como o pão.

E o verso nascido
de tua manhã viva,
de teu sonho extinto,
ainda leve, quente

e fresco como o pão.

O POEMA

A tinta e a lápis
escrevem-se todos
os versos do mundo.

Que monstros existem
nadando no poço
negro e fecundo?

Que outros deslizam
largando o carvão
de seus ossos?

Como o ser vivo
que é um verso,
um organismo

com sangue e sopro,
pode brotar
de germes mortos?

*

O papel nem sempre
é branco como
a primeira manhã.

É muitas vezes
o triste e pobre
papel de embrulho;

é de outras vezes
de carta aérea,
leve de nuvem.

Mas é no papel,
no branco asséptico,
que o verso rebenta.

Como um ser vivo
pode brotar
de um chão mineral?

A LIÇÃO DE POESIA

1. Toda a manhã consumida
como um sol imóvel
diante da folha em branco:
princípio do mundo, lua nova.

   Já não podias desenhar
sequer uma linha;
um nome, sequer uma flor
desabrochava no verão da mesa:

   nem no meio-dia iluminado,
cada dia comprado,
do papel, que pode aceitar,
contudo, qualquer mundo.

2. A noite inteira o poeta
em sua mesa, tentando
salvar da morte os monstros
germinados em seu tinteiro.

   Monstros, bichos, fantasmas
de palavras, circulando,
urinando sobre o papel,
sujando-o com seu carvão.

Carvão de lápis, carvão
da ideia fixa, carvão
da emoção extinta, carvão
consumido nos sonhos.

3. A luta branca sobre o papel
que o poeta evita,
luta branca onde corre o sangue
de suas veias de água salgada.

A física do susto percebida
entre os gestos diários;
susto das coisas jamais pousadas
porém imóveis – naturezas vivas.

E as vinte palavras recolhidas
nas águas salgadas do poeta
e de que se servirá o poeta
em sua máquina útil.

Vinte palavras sempre as mesmas
de que conhece o funcionamento,
a evaporação, a densidade
menor que a do ar.

PEQUENA ODE MINERAL

Desordem na alma
que se atropela
sob esta carne
que transparece.

Desordem na alma
que de ti foge,
vaga fumaça
que se dispersa,

informe nuvem
que de ti cresce
e cuja face
nem reconheces.

Tua alma foge
como cabelos,
unhas, humores,
palavras ditas

que não se sabe
onde se perdem
e impregnam a terra
com sua morte.

Tua alma escapa
como este corpo
solto no tempo
que nada impede.

Procura a ordem
que vês na pedra:
nada se gasta
mas permanece.

Essa presença
que reconheces
não se devora
tudo em que cresce.

Nem mesmo cresce
pois permanece
fora do tempo
que não a mede,

pesado sólido
que ao fluido vence,
que sempre ao fundo
das coisas desce.

Procura a ordem
desse silêncio
que imóvel fala:
silêncio puro,

de pura espécie,
voz de silêncio,
mais do que a ausência
que as vozes ferem.

A PAUL VALÉRY[2]

É o diabo no corpo
ou o poema
que me leva a cuspir
sobre meu não higiênico?

Doce tranquilidade
do não-fazer; paz,
equilíbrio perfeito
do apetite de menos.

Doce tranquilidade
da estátua na praça
entre a carne dos homens
que cresce e cria.

Doce tranquilidade
do pensamento da pedra,
sem fuga, evaporação,
febre, vertigem.

Doce tranquilidade
do homem na praia:
o calor evapora,
a areia absorve,

as águas dissolvem
os líquidos da vida;
e o vento dispersa
os sonhos, e apaga

a inaudível palavra
futura, – apenas
saída da boca,
sorvida no silêncio.

PSICOLOGIA DA COMPOSIÇÃO
com a
FÁBULA DE ANFION
e
ANTIODE
(1946-1947)

"Riguroso horizonte".
Jorge Guillén

FÁBULA DE ANFION

1. O deserto

No deserto, entre a
paisagem de seu
vocabulário, Anfion,

**Anfion
chega ao
deserto**

ao ar mineral isento
mesmo da alada
vegetação, no deserto

que fogem as nuvens
trazendo no bojo
as gordas estações,

Anfion, entre pedras
como frutos esquecidos
que não quiseram

amadurecer, Anfion,
como se preciso círculo
estivesse riscando

na areia, gesto puro
de resíduos, respira
o deserto, Anfion.

      *

(Ali, é um tempo claro   **O deserto**
como a fonte
e na fábula.

Ali, nada sobrou da noite
como ervas
entre pedras.

Ali, é uma terra branca
e ávida
como a cal.

Ali, não há como pôr vossa tristeza
como a um livro
na estante).

      *

Ao sol do deserto e
no silêncio atingido
como a uma amêndoa,
sua flauta seca:

Sua flauta
seca

sem a terra doce
de água e de sono;
sem os grãos do amor
trazidos na brisa,

sua flauta seca:
como alguma pedra
ainda branda, ou lábios
ao vento marinho.

*

(O sol do deserto
não intumesce a vida
como a um pão.

O sol do
deserto

O sol do deserto
não choca os velhos
ovos do mistério.

Mesmo os esguios,
discretos trigais
não resistem a

o sol do deserto,
lúcido, que preside
a essa fome vazia).

*

Sua mudez está assegurada   **Anfion pensa**
se a flauta seca: **ter encontrado**
será de mudo cimento,   **a esterilidade**
não será um búzio   **que procurava**

a concha que é o resto
de dia de seu dia:
exato, passará pelo relógio,
como de uma faca o fio.

2. O acaso

No deserto, entre os   **Encontro**
esqueletos do antigo   **com o acaso**
vocabulário, Anfion,

no deserto, cinza
e areia como um
lençol, há dez dias

da última erva
que ainda o tentou
acompanhar, Anfion,

no deserto, mais, no
castiço linho do
meio-dia, Anfion,

agora que lavado
de todo canto,
em silêncio, silêncio

desperto e ativo como
uma lâmina, depara
o acaso, Anfion.

      *

Ó acaso, raro
animal, força
de cavalo, cabeça
que ninguém viu;

**O acaso
ataca e faz
soar a
flauta**

ó acaso, vespa
oculta nas vagas
dobras da alva
distração; inseto
vencendo o silêncio
como um camelo
sobrevive à sede,
ó acaso! O acaso
súbito condensou:
em esfinge, na
cachorra de esfinge
que lhe mordia
a mão escassa;
que lhe roía
o osso antigo
logo florescido
da flauta extinta:
áridas do exercício
puro do nada.

*

Diz a mitologia   **Tebas**
(arejadas salas, de   **se faz**
nítidos enigmas

povoadas, mariscos
ou simples nozes
cuja noite guardada
à luz e ao ar livre
persiste, sem se dissolver)
diz, do aéreo
parto daquele milagre:

Quando a flauta soou
um tempo se desdobrou
do tempo, como uma caixa
de dentro de outra caixa.

3. Anfion em Tebas

Entre Tebas, entre **Anfion busca**
a injusta sintaxe **em Tebas**
que fundou, Anfion, **o deserto**
perdido
entre Tebas, entre
mãos frutíferas, entre
a copada folhagem

de gestos, no verão
que, único, lhe resta
e cujas rodas

quisera fixar
nas, ainda possíveis,
secas planícies

da alma, Anfion,
ante Tebas, como
a um tecido que

buscasse adivinhar
pelo avesso, procura
o deserto, Anfion.

        *

"Esta cidade, Tebas,   **Lamento**
não a quisera assim   **diante de**
de tijolos plantada,   **sua obra**

que a terra e a flora
procuram reaver
a sua origem menor:

como já distinguir
onde começa a hera, a argila,
ou a terra acaba?

Desejei longamente
liso muro, e branco,
puro sol em si

como qualquer laranja;
leve laje sonhei
largada no espaço.

Onde a cidade
volante, a nuvem
civil sonhada?"

             *

"Uma flauta: como   **Anfion e**
dominá-la, cavalo   **a flauta**
solto, que é louco?

Como antecipar
a árvore de som
de tal semente?

daquele grão de vento
recebido no açude
a flauta cana ainda?

Uma flauta: como prever
suas modulações,
cavalo solto e louco?

Como traçar suas ondas
antecipadamente, como faz,
no tempo, o mar?

A flauta, eu a joguei
aos peixes surdo-
-mudos do mar."

PSICOLOGIA DA COMPOSIÇÃO

I

Saio de meu poema
como quem lava as mãos.

Algumas conchas tornaram-se,
que o sol da atenção
cristalizou; alguma palavra
que desabrochei, como a um pássaro.

Talvez alguma concha
dessas (ou pássaro) lembre,
côncava, o corpo do gesto
extinto que o ar já preencheu;

talvez, como a camisa
vazia, que despi.

II

Esta folha branca
me proscreve o sonho,
me incita ao verso
nítido e preciso.

Eu me refugio
nesta praia pura
onde nada existe
em que a noite pouse.

Como não há noite
cessa toda fonte;
como não há fonte
cessa toda fuga;

como não há fuga
nada lembra o fluir
de meu tempo, ao vento
que nele sopra o tempo.

III

Neste papel
pode teu sal
virar cinza;
pode o limão
virar pedra;
o sol da pele,
o trigo do corpo
virar cinza

(Teme, por isso,
a jovem manhã
sobre as flores
da véspera).

Neste papel
logo fenecem
as roxas, mornas
flores morais;
todas as fluidas
flores da pressa;
todas as úmidas
flores do sonho.

(Espera, por isso,
que a jovem manhã
te venha revelar
as flores da véspera).

IV

O poema, com seus cavalos,
quer explodir
teu tempo claro; romper
seu branco fio, seu cimento
mudo e fresco.

(O descuido ficara aberto
de par em par;
um sonho passou, deixando
fiapos, logo árvores instantâneas
coagulando a preguiça).

V

Vivo com certas palavras,
abelhas domésticas.

Do dia aberto
(branco guarda-sol)
esses lúcidos fusos retiram
o fio de mel
(do dia que abriu
também como flor)

que na noite
(poço onde vai tombar
a aérea flor)
persistirá: louro
sabor, e ácido,
contra o açúcar do podre.

VI

Não a forma encontrada
como uma concha, perdida
nos frouxos areais
como cabelos;

não a forma obtida
em lance santo ou raro,
tiro nas lebres de vidro
do invisível;

mas a forma atingida
como a ponta do novelo
que a atenção, lenta,
desenrola,

aranha; como o mais extremo
desse fio frágil, que se rompe
ao peso, sempre, das mãos
enormes.

VII

É mineral o papel
onde escrever
o verso; o verso
que é possível não fazer.

São minerais
as flores e as plantas,
as frutas, os bichos
quando em estado de palavra.

É mineral
a linha do horizonte,
nossos nomes, essas coisas
feitas de palavras.

É mineral, por fim,
qualquer livro:
que é mineral a palavra
escrita, a fria natureza

da palavra escrita.

VIII

Cultivar o deserto
como um pomar às avessas.

(A árvore destila
a terra, gota a gota;
a terra completa
cai, fruto!

Enquanto na ordem
de outro pomar
a atenção destila
palavras maduras).

Cultivar o deserto
como um pomar às avessas:

então, nada mais
destila; evapora;
onde foi maçã
resta uma fome;

onde foi palavra
(potros ou touros
contidos) resta a severa
forma do vazio.

ANTIODE
(contra a poesia dita profunda)

A

Poesia, te escrevia:
flor! conhecendo
que és fezes. Fezes
como qualquer,

gerando cogumelos
(raros, frágeis cogu-
melos) no úmido
calor de nossa boca.

Delicado, escrevia:
flor! (Cogumelos
serão flor? Espécie
estranha, espécie

extinta de flor, flor
não de todo flor,
mas flor, bolha
aberta no maduro).

Delicado, evitava
o estrume do poema,
seu caule, seu ovário,
suas intestinações.

Esperava as puras,
transparentes florações,
nascidas do ar, no ar,
como as brisas.

B

Depois, eu descobriria
que era lícito
te chamar: flor!
(Pelas vossas iguais

circunstâncias? Vossas
gentis substâncias? Vossas
doces carnações? Pelos
virtuosos vergeis

de vossas evocações?
Pelo pudor do verso
– pudor de flor –
por seu tão delicado

pudor de flor,
que só se abre
quando a esquece o
sono do jardineiro?)

Depois eu descobriria
que era lícito
te chamar: flor!
(flor, imagem de

duas pontas, como
uma corda). Depois
eu descobriria
as duas pontas

da flor; as duas
bocas da imagem
da flor: a boca
que come o defunto

e a boca que orna
o defunto com outro
defunto, com flores,
– cristais de vômito.

C

Como não invocar o
vício da poesia: o
corpo que entorpece
ao ar de versos?

(Ao ar de águas
mortas, injetando
na carne do dia
a infecção da noite).

Fome de vida? Fome
de morte, frequentação
da morte, como de
algum cinema.

O dia? Árido.
Venha, então, a noite,
o sono. Venha,
por isso, a flor.

Venha, mais fácil e
portátil na memória,
o poema, flor no
colete da lembrança.

Como não invocar,
sobretudo, o exercício
do poema, sua prática,
sua lânguida horti-

cultura? Pois estações
há, do poema, como
da flor, ou como
no amor dos cães;

e mil mornos
enxertos, mil maneiras
de excitar negros
êxtases; e a morna

espera de que se
apodreça em poema,
prévia exalação
da alma defunta.

D

Poesia, não será esse
o sentido em que
ainda te escrevo:
flor! (Te escrevo:

flor! Não *uma*
flor, nem aquela
flor-virtude – em
disfarçados urinóis).

Flor é a palavra
flor, verso inscrito
no verso, como as
manhãs no tempo.

Flor é o salto
da ave para o voo;
o salto fora do sono
quando seu tecido

se rompe; é uma explosão
posta a funcionar,
como uma máquina,
uma jarra de flores.

E

Poesia, te escrevo
agora: fezes, as
fezes vivas que és.
Sei que outras

palavras és, palavras
impossíveis de poema.
Te escrevo, por isso,
fezes, palavra leve,

contando com sua
breve. Te escrevo
cuspe, cuspe, não
mais; tão cuspe

como a terceira
(como usá-la num
poema?) a terceira
das virtudes teologais.

O CÃO SEM PLUMAS
(1949-1950)

I

(PAISAGEM DO CAPIBARIBE)

§ A cidade é passada pelo rio
como uma rua
é passada por um cachorro;
uma fruta
por uma espada.

§ O rio ora lembrava
a língua mansa de um cão,
ora o ventre triste de um cão,
ora o outro rio
de aquoso pano sujo
dos olhos de um cão.

§ Aquele rio
era como um cão sem plumas.
Nada sabia da chuva azul,
da fonte cor-de-rosa,
da água do copo de água,
da água de cântaro,
dos peixes de água,
da brisa na água.

§ Sabia dos caranguejos
de lodo e ferrugem.
Sabia da lama
como de uma mucosa.
Devia saber dos polvos.
Sabia seguramente
da mulher febril que habita as ostras.

§ Aquele rio
jamais se abre aos peixes,
ao brilho,
à inquietação de faca
que há nos peixes.
Jamais se abre em peixes.

§ Abre-se em flores
pobres e negras
como negros.
Abre-se numa flora
suja e mais mendiga
como são os mendigos negros.
Abre-se em mangues
de folhas duras e crespos
como um negro.

§ Liso como o ventre
de uma cadela fecunda,
o rio cresce
sem nunca explodir.
Tem, o rio,
um parto fluente e invertebrado
como o de uma cadela.

§ E jamais o vi ferver
(como ferve
o pão que fermenta).
Em silêncio,
o rio carrega sua fecundidade pobre,
grávida de terra negra.

§ Em silêncio se dá:
em capas de terra negra.
em botinas ou luvas de terra negra
para o pé ou a mão
que mergulha.

§ Como às vezes
   passa com os cães,
   parecia o rio estagnar-se.
   Suas águas fluíam então
   mais densas e mornas;
   fluíam com as ondas
   densas e mornas
   de uma cobra.

§ Ele tinha algo, então,
   da estagnação de um louco.
   Algo da estagnação
   do hospital, da penitenciária, dos asilos,
   da vida suja e abafada
   (de roupa suja e abafada)
   por onde se veio arrastando.

§ Algo da estagnação
   dos palácios cariados,
   comidos
   de mofo e erva-de-passarinho.
   Algo da estagnação
   das árvores obesas
   pingando os mil açúcares
   das salas de jantar pernambucanas,
   por onde se veio arrastando.

§ (É nelas,
mas de costas para o rio,
que "as grandes famílias espirituais"
      [da cidade
chocam os ovos gordos
de sua prosa.
Na paz redonda das cozinhas,
ei-las a revolver viciosamente
seus caldeirões
de preguiça viscosa).

§ Seria a água daquele rio
fruta de alguma árvore?
Por que parecia aquela
uma água madura?
Por que sobre ela, sempre,
como que iam pousar moscas?

§ Aquele rio
saltou alegre em alguma parte?
Foi canção ou fonte
em alguma parte?
Por que então seus olhos
vinham pintados de azul
nos mapas?

II

(PAISAGEM DO CAPIBARIBE)

§ Entre a paisagem
o rio fluía
como uma espada de líquido espesso.
Como um cão
humilde e espesso.

§ Entre a paisagem
(fluía)
de homens plantados na lama;
de casas de lama
plantadas em ilhas
coaguladas na lama;
paisagem de anfíbios
de lama e lama.

§ Como o rio
aqueles homens
são como cães sem plumas
(um cão sem plumas
é mais
que um cão saqueado;
é mais
que um cão assassinado.

§ Um cão sem plumas
é quando uma árvore sem voz.
É quando de um pássaro
suas raízes no ar.
É quando a alguma coisa
roem tão fundo
até o que não tem).

§ O rio sabia
daqueles homens sem plumas.
Sabia
de suas barbas expostas,
de seu doloroso cabelo
de camarão e estopa.

§ Ele sabia também
dos grandes galpões da beira dos cais
(onde tudo
é uma imensa porta
sem portas)
escancarados
aos horizontes que cheiram a gasolina.

§ E sabia
  da magra cidade de rolha,
  onde homens ossudos,
  onde pontes, sobrados ossudos
  (vão todos
  vestidos de brim)
  secam
  até sua mais funda caliça.

§ Mas ele conhecia melhor
  os homens sem pluma.
  Estes
  secam
  ainda mais além
  de sua caliça extrema;
  ainda mais além
  de sua palha;
  mais além
  da palha de seu chapéu;
  mais além
  até
  da camisa que não têm;
  muito mais além do nome
  mesmo escrito na folha
  do papel mais seco.

§ Porque é na água do rio
que eles se perdem
(lentamente
e sem dente).
Ali se perdem
(como uma agulha não se perde).
Ali se perdem
(como um relógio não se quebra).

§ Ali se perdem
como um espelho não se quebra.
Ali se perdem
como se perde a água derramada:
sem o dente seco
com que de repente
num homem se rompe
o fio de homem.

§ Na água do rio,
lentamente,
se vão perdendo
em lama; numa lama
que pouco a pouco
também não pode falar:
que pouco a pouco

ganha os gestos defuntos
da lama;
o sangue de goma,
o olho paralítico
da lama.

§ Na paisagem do rio
difícil é saber
onde começa o rio;
onde a lama
começa do rio;
onde a terra
começa da lama;
onde o homem,
onde a pele
começa da lama;
onde começa o homem
naquele homem.

§ Difícil é saber
se aquele homem
já não está
mais aquém do homem;
mais aquém do homem
ao menos capaz de roer

os ossos do ofício;
capaz de sangrar
na praça;
capaz de gritar
se a moenda lhe mastiga o braço;
capaz
de ter a vida mastigada
e não apenas
dissolvida
(naquela água macia
que amolece seus ossos
como amoleceu as pedras).

III

(FÁBULA DO CAPIBARIBE)

§ A cidade é fecundada
por aquela espada
que se derrama,
por aquela
úmida gengiva de espada.

§ No extremo do rio.
o mar se estendia,
como camisa ou lençol,
sobre seus esqueletos
de areia lavada.

§ (Como o rio era um cachorro,
o mar podia ser uma bandeira
azul e branca
desdobrada
no extremo do curso
– ou do mastro – do rio.

§ Uma bandeira
que tivesse dentes:
que o mar está sempre
com seus dentes e seu sabão
roendo suas praias.

§ Uma bandeira
que tivesse dentes:
como um poeta puro
polindo esqueletos,
como um roedor puro,
um polícia puro
elaborando esqueletos,
o mar,
com afã,
está sempre outra vez lavando
seu puro esqueleto de areia.

§ O mar e seu incenso,
o mar e seus ácidos,
o mar e a boca de seus ácidos,
o mar e seu estômago
que come e se come,
o mar e sua carne
vidrada, de estátua,
seu silêncio, alcançado
à custa de sempre dizer
a mesma coisa,
O mar e seu tão puro
professor de geometria).

§ O rio teme aquele mar
como um cachorro
teme uma porta entretanto aberta,
como um mendigo,
a igreja aparentemente aberta.

§ Primeiro,
o mar devolve o rio.
Fecha o mar ao rio
seus brancos lençóis.
O mar se fecha
a tudo o que no rio
são flores de terra,
imagem de cão ou mendigo.

§ Depois,
o mar invade o rio.
Quer
o mar
destruir no rio
suas flores de terra inchada,
tudo o que nessa terra
pode crescer e explodir,
como uma ilha,
uma fruta.

§ Mas antes de ir ao mar
o rio se detém
em mangues de água parada.
Junta-se o rio
a outros rios
numa laguna, em pântanos
onde, fria, a vida ferve.

§ Junta-se o rio
a outros rios.
Juntos,
todos os rios
preparam sua luta
de água parada,
sua luta
de fruta parada.

§ (Como o rio era um cachorro,
como o mar era uma bandeira,
aqueles mangues
são uma enorme fruta:

§   A mesma máquina
    paciente e útil
    de uma fruta;
    a mesma força
    invencível e anônima
    de uma fruta
    – trabalhando ainda seu açúcar
    depois de cortada –.

§   Como gota a gota
    até o açúcar,
    gota a gota
    até as coroas de terra;
    como gota a gota
    até uma nova planta,
    gota a gota
    até as ilhas súbitas
    aflorando alegres).

IV

(DISCURSO DO CAPIBARIBE)

§ Aquele rio
está na memória
como um cão vivo
dentro de uma sala.
Como um cão vivo
dentro de um bolso.
Como um cão vivo
debaixo dos lençóis,
debaixo da camisa,
da pele.

§ Um cão, porque vive,
é agudo.
O que vive
não entorpece.
O que vive fere.
O homem,
porque vive,
choca com o que vive.
Viver
é ir entre o que vive.

§   O que vive
    incomoda de vida
    o silêncio, o sono, o corpo
    que sonhou cortar-se
    roupas de nuvens.
    O que vive choca,
    tem dentes, arestas, é espesso.
    O que vive é espesso
    como um cão, um homem,
    como aquele rio.

§   Como todo o real
    é espesso.
    Aquele rio
    é espesso e real.
    Como uma maçã
    é espessa.
    Como um cachorro
    é mais espesso do que uma maçã.
    Como é mais espesso
    o sangue do cachorro
    do que o próprio cachorro.
    Como é mais espesso
    um homem
    do que o sangue de um cachorro.

Como é muito mais espesso
o sangue de um homem
do que o sonho de um homem.

§ Espesso
como uma maçã é espessa.
Como uma maçã
é muito mais espessa
se um homem a come
do que se um homem a vê.
Como é ainda mais espessa
se a fome a come.
Como é ainda muito mais espessa
se não a pode comer
a fome que a vê.

§ Aquele rio
é espesso
como o real mais espesso.
Espesso
por sua paisagem espessa,
onde a fome
estende seus batalhões de secretas
e íntimas formigas.

§ E espesso
   por sua fábula espessa;
   pelo fluir
   de suas geleias de terra;
   ao parir
   suas ilhas negras de terra.

§ Porque é muito mais espessa
   a vida que se desdobra
   em mais vida,
   como uma fruta
   é mais espessa
   que sua flor;
   como a árvore
   é mais espessa
   que sua semente;
   como a flor
   é mais espessa
   que sua árvore,
   etc. etc.

§ Espesso,
porque é mais espessa
a vida que se luta
cada dia,
o dia que se adquire
cada dia
(como uma ave
que vai cada segundo
conquistando seu voo).

O RIO (excertos)

OU RELAÇÃO DA VIAGEM QUE FAZ O CAPIBARIBE DE SUA NASCENTE À CIDADE DO RECIFE (1953)

> *"Quiero que compongamos io e tú una prosa."*
> Berceo

Da lagoa da Estaca a Apolinário

Sempre pensara em ir
caminho do mar.
Para os bichos e rios
nascer já é caminhar.
Eu não sei o que os rios
têm de homem do mar;
sei que se sente o mesmo
e exigente chamar.
Eu já nasci descendo
a serra que se diz do Jacarará,
entre caraibeiras
de que só sei por ouvir contar
(pois, também como gente,
não consigo me lembrar
dessas primeiras léguas
de meu caminhar).

Desde tudo que lembro,
lembro-me bem de que baixava
entre terras de sede
que das margens me vigiavam.
Rio menino, eu temia
aquela grande sede de palha,
grande sede sem fundo
que águas meninas cobiçava.
Por isso é que ao descer
caminho de pedras eu buscava,
que não leito de areia
com suas bocas multiplicadas.
Leito de pedra abaixo
rio menino eu saltava.
Saltei até encontrar
as terras fêmeas da Mata.

Notícia do Alto Sertão

Por trás do que lembro,
ouvi de uma terra desertada,
vaziada, não vazia,
mais que seca, calcinada.
De onde tudo fugia,
onde só pedra é que ficava,
pedras e poucos homens
com raízes de pedra, ou de cabra.

Lá o céu perdia as nuvens,
derradeiras de suas aves;
as árvores, a sombra,
que nelas já não pousava.
Tudo o que não fugia,
gaviões, urubus, plantas bravas,
a terra devastada
ainda mais fundo devastava.

Como aceitara ir **A estrada**
no meu destino de mar, **da ribeira**
preferi essa estrada
para lá chegar,
que dizem da ribeira
e à costa vai dar,
que deste mar de cinza
vai a um mar de mar;
preferi essa estrada
de muito dobrar,
estrada bem segura
que não tem errar
pois é a que toda a gente
costuma tomar
(na gente que regressa
sente-se cheiro de mar).

**De Apolinário
a Poço Fundo**

Para o mar vou descendo
por essa estrada da ribeira.
A terra vou deixando
de minha infância primeira.
Vou deixando uma terra
reduzida à sua areia,
terra onde as coisas vivem
a natureza da pedra.
À mão direita os ermos
do Brejo da Madre de Deus,
Taquaritinga à esquerda,
onde o ermo é sempre o mesmo.
Brejo ou Taquaritinga,
mão direita ou mão esquerda,
vou entre coisas poucas
e secas além de sua pedra.

Deixando vou as terras
de minha primeira infância.
Deixando para trás
os nomes que vão mudando.
Terras que eu abandono
porque é de rio estar passando.
Vou com passo de rio,
que é de barco navegando.

Deixando para trás
as fazendas que vão ficando.
Vendo-as, enquanto vou,
parece que estão desfilando.
Vou andando lado a lado
de gente que vai retirando;
vou levando comigo
os rios que vou encontrando.

Deixando vou agora
esta cidade de Limoeiro.
Passa Ribeiro Fundo
onde só vivem ferreiros,
gente dura que faz
essas mãos mais duras de ferro
com que se obriga a terra
a entregar seu fruto secreto.
Passa depois Boi-Seco,
Feiticeiro, Gameleira. Ilhetas,
pequenos arruados
plantados em terra alheia,
onde vivem as mãos
que calçando as outras, de ferro,
vão arrancar da terra
os alheios frutos do alheio.

**De Limoeiro
a Ilhetas**

O trem de ferro

Agora vou deixando
o município de Limoeiro.
Lá dentro da cidade
havia encontrado o trem de ferro.
Faz a viagem do mar
mas não será meu companheiro,
apesar dos caminhos
que quase sempre vão paralelos.
Sobre seu leito liso,
com seu fôlego de ferro,
lá no mar do Arrecife
ele chegará muito primeiro.
Sou um rio de várzea,
não posso ir tão ligeiro.
Mesmo que o mar os chame,
os rios, como os bois, são ronceiros.

Outra vez ouço o trem
ao me aproximar de Carpina.
Vai passar na cidade,
vai pela chã, lá por cima.
Detém-se raramente,
pois que sempre está fugindo,
esquivando apressado
as coisas de seu caminho.

Diversa da dos trens
é a viagem que fazem os rios:
convivem com as coisas
entre as quais vão fluindo;
demoram nos remansos
para descansar e dormir;
convivem com a gente
sem se apressar em fugir.

Parece que ouço agora **De Ilhetas**
que vou deixando o Agreste: **ao Petribu**
"Rio Capibaribe,
que mau caminho escolheste.
Vens de terras de sola,
curtidas de tanta sede,
vais para terra pior,
que apodrece sob o verde.
Se aqui tudo secou
até seu osso de pedra,
se a terra é dura, o homem
tem pedra para defender-se.
Na Mata, a febre, a fome
até os ossos amolecem".
Penso: o rumo do mar
sempre é o melhor para quem desce.

Encontro com o canavial

No outro dia deixava
o Agreste, na Chã do Carpina.
Entrava por Paudalho,
terra já de cana e de usinas.
Via plantas de cana
com sua cabeleira, ou crina,
muita folha de cana
com sua lâmina fina,
muita soca de cana
com sua aparência franzina,
e canas com pendões
que são as canas maninhas.
Como terras de cana,
são muito mais brandas e femininas.
Foram terras de engenho,
agora são terras de usina.

Outros rios

Foram terras de engenho,
agora são terras de usina.
É o que contam os rios
que vou encontrando por aqui.
Rios bem diferentes
daqueles que já viajam comigo.
A estes também abraço
com abraço líquido e amigo.

Os primeiros porém
nenhuma palavra respondiam.
Debaixo do silêncio
eu não sei o que traziam.
Nenhum deles também
antecipar sequer parecia
o ancho mar do Recife
que os estava aguardando um dia.

Primeiro é o Petribu,
que trabalha para uma usina.
Trabalham para engenhos
o Apuá e o Cursaí.
O Cumbe e o Cajueiro
cresceram, como o Camilo,
entre cassacos do eito,
no mesmo duro serviço.
Depois é o Muçurepe,
que trabalha para outra usina.
Depois vem o Goitá,
dos lados da Chã da Alegria.
Então, o Tapacurá,
dos lados da Luz, freguesia
da gente do escrivão
que foi escrevendo o que eu dizia.

Encontro com a Usina

Mas na Usina é que vi
aquela boca maior
que existe por detrás
das bocas que ela plantou;
que come o canavial
que contra as terras soltou;
que come o canavial
e tudo o que ele devorou;
que come o canavial
e as casas que ele assaltou;
que come o canavial
e as caldeiras que sufocou.
Só na Usina é que vi
aquela boca maior,
a boca que devora
bocas que devorar mandou.

Na vila da Usina
é que fui descobrir a gente
que as canas expulsaram
das ribanceiras e vazantes;
e que essa gente mesma
na boca da Usina são os dentes
que mastigam a cana
que a mastigou enquanto gente;

que mastigam a cana
que mastigou anteriormente
as moendas dos engenhos
que mastigavam antes outra gente;
que nessa gente mesma,
nos dentes fracos que ela arrenda,
as moendas estrangeiras
sua força melhor assentam.

Por esta grande usina
olhando com cuidado eu vou,
que esta foi a usina
que toda esta Mata dominou.
Numa usina se aprende
como a carne mastiga o osso,
se aprende como mãos
amassam a pedra, o caroço;
numa usina se assiste
à vitória, de dor maior,
do brando sobre o duro,
do grão amassando a mó;
numa usina se assiste
à vitória maior e pior,
que é a da pedra dura
furada pelo suor.

Para trás vai ficando
a triste povoação daquela usina
onde vivem os dentes
com que a fábrica mastiga.
Dentes frágeis, de carne,
que não duram mais de um dia;
dentes são que se comem
ao mastigar para a Companhia;
de gente que, cada ano,
o tempo da safra é que vive,
que, na braça da vida,
tem marcado curto o limite.
Vi homens de bagaço
enquanto por ali discorria;
vi homens de bagaço
que morte úmida embebia.

E vi todas as mortes
em que esta gente vivia:
vi a morte por crime,
pingando a hora na vigia;
a morte por desastre,
com seus gumes tão precisos,
como um braço se corta,
cortar bem rente muita vida;

vi a morte por febre,
precedida de seu assovio,
consumir toda a carne
com um fogo que por dentro é frio.
Ali não é a morte
de planta que seca, ou de rio:
é morte que apodrece,
ali natural, pelo visto.

Casas de lama negra **O outro**
há plantadas por essas ilhas **Recife**
(na enchente da maré
elas navegam como ilhas);
casas de lama negra
daquela cidade anfíbia
que existe por debaixo
do Recife contado em Guias.
Nela deságua a gente
(como no mar deságuam rios)
que de longe desceu
em minha companhia;
nela deságua a gente
de existência imprecisa,
no seu chão de lama
entre água e terra indecisa.

Dos Coelhos ao cais de Santa Rita

Mas deixo essa cidade:
dela mais tarde contarei.
Vou naquele caminho
que pelo hospital dos Coelhos,
por cais de que as vazantes
exibem gengivas negras,
leva àquele Recife
de fundação holandesa.
Nele passam as pontes
de robustez portuguesa,
anúncios luminosos
com muitas palavras inglesas;
passa ainda a cadeia,
passa o Palácio do Governo,
ambos robustos, sólidos,
plantados no chão mais seco.

Rio lento de várzea,
vou agora ainda mais lento,
que agora minhas águas
de tanta lama me pesam.
Vou agora tão lento,
porque é pesado o que carrego:
vou carregado de ilhas
recolhidas enquanto desço;

de ilhas de terra preta,
imagem do homem aqui de perto
e do homem que encontrei
no meu comprido trajeto
(também a dor desse homem
me impõe essa passada de doença,
arrastada, de lama,
e assim cuidadosa e atenta).

Vão desfilando cais
com seus sobrados ossudos.
Passam muitos sobrados
com seus telhados agudos.
Passam, muito mais baixos,
os armazéns de açúcar do Brum.
Passam muitas barcaças
para Itapissuma, Igaraçu.
No cais de Santa Rita,
enquanto vou norte-sul,
surge o mar, afinal,
como enorme montanha azul.
No cais, Joaquim Cardozo
morou e aprendeu a luz
das costas do Nordeste,
mineral de tanto azul.

As duas cidades

Mas antes de ir ao mar,
onde minha fala se perde,
vou contar da cidade
habitada por aquela gente
que veio meu caminho
e de quem fui o confidente.
Lá pelo Beberibe
aquela cidade também se estende,
pois sempre junto aos rios
prefere se fixar aquela gente;
sempre perto dos rios,
companheiros de antigamente,
como se não pudessem
por um minuto somente
dispensar a presença
de seus conhecidos de sempre.

Conheço todos eles,
do Agreste e da Caatinga;
gente também da Mata
vomitada pelas usinas;
gente também daqui
que trabalha nestas usinas,
que aqui não moem cana,
moem coisas muito mais finas.

Muitas eu vi passar:
fábricas, como aqui se apelidam;
têm bueiro como usina,
são iguais também por famintas.
Só que as enormes bocas
que existem aqui nestas usinas
encontram muitas pedras
dentro de sua farinha.

A gente da cidade
que há no avesso do Recife
tem em mim um amigo,
seu companheiro mais íntimo.
Vivo com esta gente,
entro-lhes pela cozinha;
como bicho de casa
penetro nas camarinhas.
As vilas que passei
sempre abracei como amigo;
desta vila de lama
é que sou mais do que amigo:
sou o amante, que abraça
com corpo mais confundido;
sou o amante, com ela
leito de lama divido.

Tudo o que encontrei
na minha longa descida,
montanhas, povoados,
caieiras, viveiros, olarias,
mesmo esses pés de cana
que tão iguais me pareciam,
tudo levava um nome
com que poder ser conhecido.
A não ser esta gente
que pelos mangues habita:
eles são gente apenas
sem nenhum nome que os distinga;
que os distinga na morte
que aqui é anônima e seguida.
São como ondas de mar,
uma só onda, e sucessiva.

A não ser esta cidade
que vim encontrar sob o Recife:
sua metade podre
que com lama podre se edifica.
É cidade sem nome
sob a capital tão conhecida.
Se é também capital,
será uma capital mendiga.

É cidade sem ruas
e sem casas que se diga.
De outra qualquer cidade
possui apenas polícia.
Desta capital podre
só as estatísticas dão notícia,
ao medir sua morte,
pois não há o que medir em sua vida.

Conheço toda a gente
que deságua nestes alagados.
Não estão no nível de cais,
vivem no nível da lama e do pântano.
Gente de olho perdido
olhando-me sempre passar
como se eu fosse trem
ou carro de viajar.
É gente que assim me olha
desde o sertão do Jacarará;
gente que sempre me olha
como se, de tanto me olhar,
eu pudesse o milagre
de, num dia ainda por chegar,
levar todos comigo,
retirantes para o mar.

Os dois mares

A um rio sempre espera
um mais vasto e ancho mar.
Para a gente que desce
é que nem sempre existe esse mar,
pois eles não encontram
na cidade que imaginavam mar
senão outro deserto
de pântanos perto do mar.
Por entre esta cidade
ainda mais lenta é minha pisada;
retardo enquanto posso
os últimos dias da jornada.
Não há talhas que ver,
muito menos o que tombar:
há apenas esta gente
e minha simpatia calada.

Oferenda

Já deixando o Recife
entro pelos caminhos comuns do mar:
entre barcos de longe,
sábios de muito viajar;
junto desta barcaça
que vai no rumo de Itamaracá;
lado a lado com rios
que chegam do Pina com o Jiquiá.

Ao partir companhia
desta gente dos alagados
que lhe posso deixar,
que conselho, que recado?
Somente a relação
de nosso comum retirar;
só esta relação
tecida em grosso tear.

PAISAGENS COM FIGURAS
(1954-1955)

IMAGENS EM CASTELA

Se alguém procura a imagem
da paisagem de Castela
procure no dicionário:
meseta provém de mesa.

É uma paisagem em largura,
de qualquer lado infinita.
É uma mesa sem nada
e horizontes de marinha

posta na sala deserta
de uma ampla casa vazia,
casa aberta e sem paredes,
rasa aos espaços do dia.

Na casa sem pé-direito,
na mesa sem serventia,
apenas, com seu cachorro,
vem sentar-se a ventania.

E quando não é a mesa
sem toalha e sem terrina,
a paisagem de Castela
num grande palco se amplia:

no palco raso, sem fundo,
só horizonte, do teatro
para a ópera que as nuvens
dão ali em espetáculo:

palco raso e sem fundo,
palco que só fosse chão,
agora só frequentado
pelo vento e por seu cão.

No mais, não é Castela
mesa nem palco, é o pão:
a mesma crosta queimada,
o mesmo pardo no chão;

aquele mesmo equilíbrio,
de seco e úmido, do pão,
terra de águas contadas
onde é mais contado o grão;

aquela maciez sofrida
que se pode ver no pão
e em tudo o que o homem faz
diretamente com a mão.

E mais: por dentro, Castela
tem aquela dimensão
dos homens de pão escasso,
sua calada condição.

O VENTO NO CANAVIAL

Não se vê no canavial
nenhuma planta com nome,
nenhuma planta maria,
planta com nome de homem.

É anônimo o canavial,
sem feições, como a campina;
é como um mar sem navios,
papel em branco de escrita.

É como um grande lençol
sem dobras e sem bainha;
penugem de moça ao sol,
roupa lavada estendida.

Contudo há no canavial
oculta fisionomia:
como em pulso de relógio
há possível melodia,

ou como de um avião
a paisagem se organiza,
ou há finos desenhos nas
pedras da praça vazia.

Se venta no canavial
estendido sob o sol
seu tecido inanimado
faz-se sensível lençol,

se muda em bandeira viva,
de cor verde sobre verde,
com estrelas verdes que
no verde nascem, se perdem,

Não lembra o canavial
então, as praças vazias:
não tem, como têm as pedras,
disciplina de milícias.

É solta sua simetria:
como a das ondas na areia
ou as ondas da multidão
lutando na praça cheia.

Então, é da praça cheia
que o canavial é a imagem:
veem-se as mesmas correntes
que se fazem e desfazem,

voragens que se desatam,
redemoinhos iguais,
estrelas iguais àquelas
que o povo na praça faz.

PREGÃO TURÍSTICO DO RECIFE

Aqui o mar é uma montanha
regular redonda e azul,
mais alta que os arrecifes
e os mangues rasos ao sul.

Do mar podeis extrair,
do mar deste litoral,
um fio de luz precisa,
matemática ou metal.

Na cidade propriamente
velhos sobrados esguios
apertam ombros calcários
de cada lado de um rio.

Com os sobrados podeis
aprender lição madura:
um certo equilíbrio leve,
na escrita, da arquitetura.

E neste rio indigente,
sangue-lama que circula
entre cimento e esclerose
com sua marcha quase nula,

e na gente que se estagna
nas mucosas deste rio,
morrendo de apodrecer
vidas inteiras a fio,

podeis aprender que o homem
é sempre a melhor medida.
Mais: que a medida do homem
não é a morte mas a vida.

CEMITÉRIO PERNAMBUCANO
(TORITAMA)

Para que todo este muro?
Por que isolar estas tumbas
do outro ossário mais geral
que é a paisagem defunta?

A morte nesta região
gera dos mesmos cadáveres?
Já não os gera de caliça?
Terão alguma umidade?

Para que a alta defesa,
alta quase para os pássaros,
e as grades de tanto ferro,
tanto ferro nos cadeados?

– Deve ser a sementeira
o defendido hectare,
onde se guardam as cinzas
para o tempo de semear.

CEMITÉRIO PERNAMBUCANO
(SÃO LOURENÇO DA MATA)

É cemitério marinho
mas marinho de outro mar.
Foi aberto para os mortos
que afoga o canavial.

As covas no chão parecem
as ondas de qualquer mar,
mesmo as de cana, lá fora,
lambendo os muros de cal.

Pois que os carneiros de terra
parecem ondas de mar,
não levam nomes: uma onda
onde se viu batizar?

Também marinho: porque
as caídas cruzes que há
são menos cruzes que mastros
quando a meio naufragar.

CEMITÉRIO PERNAMBUCANO
(NOSSA SENHORA DA LUZ)

Nesta terra ninguém jaz,
pois também não jaz um rio,
noutro rio, nem o mar
é cemitério de rios.

Nenhum dos mortos daqui
vem vestido de caixão.
Portanto, eles não se enterram,
são derramados no chão.

Vêm em redes de varandas
abertas ao sol e à chuva.
Trazem suas próprias moscas.
O chão lhes vai como luva.

Mortos ao ar-livre, que eram,
hoje à terra-livre estão.
São tão da terra que a terra
nem sente sua intrusão.

ALTO DO TRAPUÁ

Já fostes algum dia espiar
do alto do Engenho Trapuá?
Fica na estrada de Nazaré,
antes de Tracunhaém.
Por um caminho à direita
se vai ter a uma igreja
que tem um mirante que está
bem acima dos ombros das chãs.
Com as lentes que o verão
instala no ar da região
muito se pode divisar
do alto do Engenho Trapuá.

Se se olha para o oeste,
onde começa o Agreste,
se vê o algodão que exorbita
sua cabeleira encardida,
a mamona, de mais altura,
que amadurece, feia e hirsuta,
o abacaxi, entre sabres metálicos,
o agave, às vezes fálico,
a palmatória bem estruturada,
e a mandioca sempre em parada
na paisagem que o mato prolixo
completa sem qualquer ritmo,

e tudo entre cercas de avelós
que mordem com leite feroz
e ali estão, cão ou alcaide,
para defesa da propriedade.

Se se olha para o nascente,
se vê flora diferente.
Só canaviais e suas crinas,
e as canas longilíneas
de cores claras e ácidas,
femininas, aristocráticas,
desfraldando ao sol completo
seus líquidos exércitos,
suas enchentes sem margem
que inundaram já todas as vargens
e vão agora ao assalto
dos restos de mata dos altos.

Porém se a flora varia
segundo o lado que se espia,
uma espécie há, sempre a mesma,
de qualquer lado que esteja.
É uma espécie bem estranha:
tem algo de aparência humana,
mas seu torpor de vegetal

é mais da história natural.
Estranhamente, no rebento
cresce o ventre sem alimento,
um ventre entretanto baldio
que envolve só o vazio
e que guardará somente ausência
ainda durante a adolescência,
quando ainda esse enorme abdome
terá a proporção de sua fome.
Esse ventre devoluto,
depois, no indivíduo adulto,
no adulto, mudará de aspecto:
de côncavo se fará convexo
e o que parecia fruta
se fará palha absoluta.
Apesar do pouco que vinga,
não é uma espécie extinta
e multiplica-se até regularmente.
Mas é uma espécie indigente,
é a planta mais franzina
no ambiente de rapina,
e como o coqueiro, consuntivo,
é difícil na região seu cultivo.

São lentes de aproximação
as que instala o verão
no mirante do Engenho Trapuá.
Tudo permitem divisar
com a maior precisão:
até uma espiga sem grão,
até o grão de uma espiga,
até no grão essa formiga
de ar muito mais racional
que o da estranha espécie local.

ENCONTRO COM UM POETA

Em certo lugar da Mancha,
onde mais dura é Castela,
sob as espécies de um vento
soprando armado de areia,
vim supreender a presença,
mais do que pensei, severa,
de certo Miguel Hernández,[3]
hortelão de Orihuela.
A voz desse tal Miguel,
entre palavras e terra
indecisa, como em Fraga
as casas o estão da terra,
foi um dia arquitetura,
foi voz métrica de pedra,
tal como, cristalizada,
surge Madrid a quem chega.
Mas a voz que percebi
no vento da parameira[4]
era de terra sofrida
e batida, terra de eira.
Não era a voz expurgada
de suas obras seletas:
era uma edição do vento,
que não vai às bibliotecas,
era uma edição incômoda,

a que se fecha a janela,
incômoda porque o vento
não censura mas libera.
A voz que então percebi
no vento da parameira
era aquela voz final
de Miguel, rouca de guerra
(talvez ainda mais aguda
no sotaque da poeira;
talvez mais dilacerada
quando o vento a interpreta).
Vi então que a terra batida
do fim da vida do poeta,
terra que de tão sofrida
acabou virando pedra,
se havia multiplicado
naquelas facas de areia
e que, se multiplicando,
multiplicara as arestas.
Naquela edição do vento
senti a voz mais direta:
igual que árvore amputada,
ganharia gumes de pedra.

MORTE E VIDA SEVERINA
(Auto de Natal Pernambucano)
(1954-1955)

O retirante explica ao leitor quem é e a que vai

— O meu nome é Severino,
não tenho outro de pia.
Como há muitos Severinos,
que é santo de romaria,
deram então de me chamar
Severino de Maria;
como há muitos Severinos
com mães chamadas Maria,
fiquei sendo o da Maria
do finado Zacarias.
Mas isso ainda diz pouco:
há muitos na freguesia,
por causa de um coronel
que se chamou Zacarias
e que foi o mais antigo
senhor desta sesmaria.
Como então dizer quem fala
ora a Vossas Senhorias?
Vejamos: é o Severino
da Maria do Zacarias,
lá da Serra da Costela,
limites da Paraíba.
Mas isso ainda diz pouco:
se ao menos mais cinco havia

com nome de Severino
filhos de tantas Marias
mulheres de outros tantos,
já finados, Zacarias,
vivendo na mesma serra
magra e ossuda em que eu vivia.
Somos muitos Severinos
iguais em tudo na vida:
na mesma cabeça grande
que a custo é que se equilibra,
no mesmo ventre crescido
sobre as mesmas pernas finas,
e iguais também porque o sangue
que usamos tem pouca tinta.
E se somos Severinos
iguais em tudo na vida,
morremos de morte igual,
mesma morte severina:
que é a morte de que se morre
de velhice antes dos trinta,
de emboscada antes dos vinte,
de fome um pouco por dia
(de fraqueza e de doença
é que a morte severina
ataca em qualquer idade,

e até gente não nascida).
Somos muitos Severinos
iguais em tudo e na sina:
a de abrandar estas pedras
suando-se muito em cima,
a de tentar despertar
terra sempre mais extinta,
a de querer arrancar
algum roçado da cinza.
Mas, para que me conheçam
melhor Vossas Senhorias
e melhor possam seguir
a história de minha vida,
passo a ser o Severino
que em vossa presença emigra.

Encontra dois homens carregando um defunto numa rede, aos gritos de: "Ó irmãos das almas! irmãos das almas! não fui eu que matei não!"

— A quem estais carregando,
irmãos das almas,
embrulhado nessa rede?

dizei que eu saiba.
– A um defunto de nada,
irmão das almas,
que há muitas horas viaja
à sua morada.
– E sabeis quem era ele,
irmãos das almas,
sabeis como ele se chama
ou se chamava?
– Severino Lavrador,
irmão das almas,
Severino Lavrador,
mas já não lavra.
– E de onde que o estais trazendo,
irmãos das almas,
onde foi que começou
vossa jornada?
– Onde a Caatinga é mais seca,
irmão das almas,
onde uma terra que não dá
nem planta brava.
– E foi morrida essa morte,
irmãos das almas,
essa foi morte morrida
ou foi matada?

– Até que não foi morrida,
irmão das almas,
esta foi morte matada,
numa emboscada.
– E o que guardava a emboscada,
irmãos das almas,
e com que foi que o mataram,
com faca ou bala?
– Este foi morto de bala,
irmão das almas,
mais garantido é de bala,
mais longe vara.
– E quem foi que o emboscou,
irmãos das almas,
quem contra ele soltou
essa ave-bala?
– Ali é difícil dizer,
irmão das almas,
sempre há uma bala voando
desocupada.
– E o que havia ele feito,
irmãos das almas,
e o que havia ele feito
contra a tal pássara?
– Ter uns hectares de terra,

irmão das almas,
de pedra e areia lavada
que cultivava.
– Mas que roças que ele tinha,
irmãos das almas,
que podia ele plantar
na pedra avara?
– Nos magros lábios de areia,
irmão das almas,
dos intervalos das pedras,
plantava palha.
– E era grande sua lavoura,
irmãos das almas,
lavoura de muitas covas,
tão cobiçada?
– Tinha somente dez quadros,
irmão das almas,
todos nos ombros da serra,
nenhuma várzea.
– Mas então por que o mataram,
irmãos das almas,
mas então por que o mataram
com espingarda?
– Queria mais espalhar-se,
irmão das almas,

queria voar mais livre
essa ave-bala.
– E agora o que passará,
irmãos das almas,
o que é que acontecerá
contra a espingarda?
– Mais campo tem para soltar,
irmão das almas,
tem mais onde fazer voar
as filhas-bala.
– E onde o levais a enterrar,
irmãos das almas,
com a semente de chumbo
que tem guardada?
– Ao cemitério de Torres,
irmão das almas,
que hoje se diz Toritama,
de madrugada.
– E poderei ajudar,
irmãos das almas?
vou passar por Toritama,
é minha estrada.
– Bem que poderá ajudar,
irmão das almas,
é irmão das almas quem ouve

nossa chamada.
– E um de nós pode voltar,
irmão das almas,
pode voltar daqui mesmo
para sua casa.
– Vou eu, que a viagem é longa,
irmãos das almas,
é muito longa a viagem
e a serra é alta.
– Mais sorte tem o defunto,
irmãos das almas,
pois já não fará na volta
a caminhada.
– Toritama não cai longe,
irmão das almas,
seremos no campo santo
de madrugada.
– Partamos enquanto é noite,
irmão das almas,
que é o melhor lençol dos mortos
noite fechada.

*O retirante tem medo de se extraviar porque seu
guia, o rio Capibaribe, cortou com o verão*

    – Antes de sair de casa
    aprendi a ladainha
    das vilas que vou passar
    na minha longa descida.
    Sei que há muitas vilas grandes,
    cidades que elas são ditas;
    sei que há simples arruados,
    sei que há vilas pequeninas,
    todas formando um rosário
    cujas contas fossem vilas,
    todas formando um rosário
    de que a estrada fosse a linha.
    Devo rezar tal rosário
    até o mar onde termina,
    saltando de conta em conta,
    passando de vila em vila.
    Vejo agora: não é fácil
    seguir essa ladainha;
    entre uma conta e outra conta,
    entre uma e outra ave-maria,
    há certas paragens brancas,

de planta e bicho vazias,
vazias até de donos,
e onde o pé se descaminha.
Não desejo emaranhar
o fio de minha linha
nem que se enrede no pelo
hirsuto desta caatinga.
Pensei que seguindo o rio
eu jamais me perderia:
ele é o caminho mais certo,
de todos o melhor guia.
Mas como segui-lo agora
que interrompeu a descida?
Vejo que o Capibaribe,
como os rios lá de cima,
é tão pobre que nem sempre
pode cumprir sua sina
e no verão também corta,
com pernas que não caminham.
Tenho de saber agora
qual a verdadeira via
entre essas que escancaradas
frente a mim se multiplicam.
Mas não vejo almas aqui,
nem almas mortas nem vivas;

ouço somente à distância
o que parece cantoria.
Será novena de santo,
será algum mês de Maria;
quem sabe até se uma festa
ou uma dança não seria?

Na casa a que o retirante chega estão cantando excelências para um defunto, enquanto um homem, do lado de fora, vai parodiando as palavras dos cantadores

— *Finado Severino,*
quando passares em Jordão
e os demônios te atalharem
perguntando o que é que levas...
— *Dize que levas cera,*
capuz e cordão
mais a Virgem da Conceição.
— *Finado Severino,*
etc...
— *Dize que levas somente*
coisas de não:

fome, sede, privação.
– *Finado Severino,*
etc...
– Dize que coisas de não,
ocas, leves:
como o caixão, que ainda deves.
– *Uma excelência*
dizendo que a hora é hora.
– *Ajunta os carregadores*
que o corpo quer ir embora.
– *Duas excelências...*
– ... dizendo é a hora da plantação.
– *Ajunta os carregadores...*
– ... que a terra vai colher a mão.

Cansado da viagem o retirante pensa
interrompê-la por uns instantes e
procurar trabalho ali onde se encontra

– Desde que estou retirando
só a morte vejo ativa,
só a morte deparei
e às vezes até festiva;

só morte tem encontrado
quem pensava encontrar vida,
e o pouco que não foi morte
foi de vida severina
(aquela vida que é menos
vivida que defendida,
e é ainda mais severina
para o homem que retira).
Penso agora: mas por que
parar aqui eu não podia
e como o Capibaribe
interromper minha linha?
ao menos até que as águas
de uma próxima invernia
me levem direto ao mar
ao refazer sua rotina?
Na verdade, por uns tempos,
parar aqui eu bem podia
e retomar a viagem
quando vencesse a fadiga.
Ou será que aqui cortando
agora a minha descida
já não poderei seguir
nunca mais em minha vida?
(será que a água destes poços

é toda aqui consumida
pelas roças, pelos bichos,
pelo sol com suas línguas?
será que quando chegar
o rio da nova invernia
um resto da água do antigo
sobrará nos poços ainda?)
Mas isso depois verei:
tempo há para que decida;
primeiro é preciso achar
um trabalho de que viva.
Vejo uma mulher na janela,
ali, que se não é rica,
parece remediada
ou dona de sua vida:
vou saber se de trabalho
poderá me dar notícia.

*Dirige-se à mulher na janela que depois
descobre tratar-se de quem se saberá*

– Muito bom dia, senhora,
que nessa janela está;
sabe dizer se é possível

algum trabalho encontrar?
– Trabalho aqui nunca falta
a quem sabe trabalhar;
o que fazia o compadre
na sua terra de lá?
– Pois fui sempre lavrador,
lavrador de terra má;
não há espécie de terra
que eu não possa cultivar.
– Isso aqui de nada adianta,
pouco existe o que lavrar;
mas diga-me, retirante,
que mais fazia por lá?
– Também lá na minha terra
de terra mesmo pouco há;
mas até a calva da pedra
sinto-me capaz de arar.
– Também de pouco adianta,
nem pedra há aqui que amassar;
diga-me ainda, compadre,
que mais fazia por lá?
– Conheço todas as roças
que nesta chã podem dar:
o algodão, a mamona,
a pita, o milho, o caroá.

— Esses roçados o banco
já não quer financiar;
mas diga-me, retirante,
o que mais fazia lá?
— Melhor do que eu ninguém
sabe combater, quiçá,
tanta planta de rapina
que tenho visto por cá.
— Essas plantas de rapina
são tudo o que a terra dá;
diga-me ainda, compadre,
que mais fazia por lá?
— Tirei mandioca de chãs
que o vento vive a esfolar
e de outras escalavradas
pela seca faca solar.
— Isto aqui não é Vitória
nem é Glória do Goitá;
e além da terra, me diga,
que mais sabe trabalhar?
— Sei também tratar de gado,
entre urtigas pastorear:
gado de comer do chão
ou de comer ramas no ar.
— Aqui não é Surubim

nem Limoeiro, oxalá!
mas diga-me, retirante,
que mais fazia por lá?
– Em qualquer das cinco tachas
de um banguê sei cozinhar;
sei cuidar de uma moenda,
de uma casa de purgar.
– Com a vinda das usinas
há poucos engenhos já;
nada mais o retirante
aprendeu a fazer lá?
– Ali ninguém aprendeu
outro ofício, ou aprenderá:
mas o sol, de sol a sol,
bem se aprende a suportar.
– Mas isso então será tudo
em que sabe trabalhar?
vamos, diga, retirante,
outras coisas saberá.
– Deseja mesmo saber
o que eu fazia por lá?
comer quando havia o quê
e, havendo ou não, trabalhar.
– Essa vida por aqui
é coisa familiar;

mas diga-me, retirante,
sabe benditos rezar?
sabe cantar excelências,
defuntos encomendar?
sabe tirar ladainhas,
sabe mortos enterrar?
– Já velei muitos defuntos,
na serra é coisa vulgar;
mas nunca aprendi as rezas,
sei somente acompanhar.
– Pois se o compadre soubesse
rezar ou mesmo cantar,
trabalhávamos a meias,
que a freguesia bem dá.
– Agora se me permite
minha vez de perguntar:
como a senhora, comadre,
pode manter o seu lar?
– Vou explicar rapidamente,
logo compreenderá:
como aqui a morte é tanta,
vivo de a morte ajudar.
– E ainda se me permite
que lhe volte a perguntar:
é aqui uma profissão

trabalho tão singular?
– É, sim, uma profissão,
e a melhor de quantas há:
sou de toda a região
rezadora titular.
– E ainda se me permite
mais outra vez indagar:
é boa essa profissão
em que a comadre ora está?
– De um raio de muitas léguas
vem gente aqui me chamar;
a verdade é que não pude
queixar-me ainda de azar.
– E se pela última vez
me permite perguntar:
não existe outro trabalho
para mim neste lugar?
– Como aqui a morte é tanta,
só é possível trabalhar
nessas profissões que fazem
da morte ofício ou bazar.
Imagine que outra gente
de profissão similar,
farmacêuticos, coveiros,
doutor de anel no anular,

remando contra a corrente
da gente que baixa ao mar,
retirantes às avessas,
sobem do mar para cá.
Só os roçados da morte
compensam aqui cultivar,
e cultivá-los é fácil:
simples questão de plantar;
não se precisa de limpa,
de adubar nem de regar;
as estiagens e as pragas
fazem-nos mais prosperar;
e dão lucro imediato;
nem é preciso esperar
pela colheita: recebe-se
na hora mesma de semear.

O retirante chega à Zona da Mata, que o faz pensar, outra vez, em interromper a viagem

— Bem me diziam que a terra
se faz mais branda e macia
quanto mais do litoral

a viagem se aproxima.
Agora afinal cheguei
nessa terra que diziam.
Como ela é uma terra doce
para os pés e para a vista.
Os rios que correm aqui
têm a água vitalícia.
Cacimbas por todo lado;
cavando o chão, água mina.
Vejo agora que é verdade
o que pensei ser mentira.
Quem sabe se nesta terra
não plantarei minha sina?
Não tenho medo de terra
(cavei pedra toda a vida),
e para quem lutou a braço
contra a piçarra da Caatinga
será fácil amansar
esta aqui, tão feminina.
Mas não avisto ninguém,
só folhas de cana fina;
somente ali à distância
aquele bueiro de usina;
somente naquela várzea
um banguê velho em ruína.

Por onde andará a gente
que tantas canas cultiva?
Feriando: que nesta terra
tão fácil, tão doce e rica,
não é preciso trabalhar
todas as horas do dia,
os dias todos do mês,
os meses todos da vida.
Decerto a gente daqui
jamais envelhece aos trinta
nem sabe da morte em vida,
vida em morte, severina;
e aquele cemitério ali,
branco na verde colina,
decerto pouco funciona
e poucas covas aninha.

Assiste ao enterro de um trabalhador de eito
e ouve o que dizem do morto os amigos
que o levaram ao cemitério

– Essa cova em que estás,
com palmos medida,

é a conta menor
que tiraste em vida.
– É de bom tamanho,
nem largo nem fundo,
é a parte que te cabe
deste latifúndio.
– Não é cova grande,
é cova medida,
é a terra que querias
ver dividida.
– É uma cova grande
para teu pouco defunto,
mas estarás mais ancho
que estavas no mundo.
– É uma cova grande
para teu defunto parco,
porém mais que no mundo
te sentirás largo.
– É uma cova grande
para tua carne pouca,
mas a terra dada
não se abre a boca.

– Viverás, e para sempre,
na terra que aqui aforas:

e terás enfim tua roça.
— Aí ficarás para sempre,
livre do sol e da chuva,
criando tuas saúvas.
— Agora trabalharás
só para ti, não a meias,
como antes em terra alheia.
— Trabalharás uma terra
da qual, além de senhor,
serás homem de eito e trator.
— Trabalhando nessa terra,
tu sozinho tudo empreitas:
serás semente, adubo, colheita.
— Trabalharás numa terra
que também te abriga e te veste:
embora com o brim do Nordeste.
— Será de terra
tua derradeira camisa:
te veste, como nunca em vida.
— Será de terra
e tua melhor camisa:
te veste e ninguém cobiça.
— Terás de terra
completo agora o teu fato:
e pela primeira vez, sapato.

— Como és homem,
a terra te dará chapéu:
fosses mulher, xale ou véu.
— Tua roupa melhor
será de terra e não de fazenda:
não se rasga nem se remenda.
— Tua roupa melhor
e te ficará bem cingida:
como roupa feita à medida.

— Esse chão te é bem conhecido
(bebeu teu suor vendido).
— Esse chão te é bem conhecido
(bebeu o moço antigo).
— Esse chão te é bem conhecido
(bebeu tua força de marido).
— Desse chão és bem conhecido
(através de parentes e amigos).
— Desse chão és bem conhecido
(vive com tua mulher, teus filhos).
— Desse chão és bem conhecido
(te espera de recém-nascido).

— Não tens mais força contigo:
deixa-te semear ao comprido.

— Já não levas semente viva:
teu corpo é a própria maniva.
— Não levas rebolo de cana:
és o rebolo, e não de caiana.
— Não levas semente na mão:
és agora o próprio grão.
— Já não tens força na perna:
deixa-te semear na coveta.
— Já não tens força na mão:
deixa-te semear no leirão.

— Dentro da rede não vinha nada,
só tua espiga debulhada.
— Dentro da rede vinha tudo,
só tua espiga no sabugo.
— Dentro da rede coisa vasqueira,
só a maçaroca banguela.
— Dentro da rede coisa pouca,
tua vida que deu sem soca.

— Na mão direita um rosário,
milho negro e ressecado.
— Na mão direita somente
o rosário, seca semente.
— Na mão direita, de cinza,

o rosário, semente maninha.
– Na mão direita o rosário,
semente inerte e sem salto.

– Despido vieste no caixão,
despido também se enterra o grão.
– De tanto te despiu a privação
que escapou de teu peito a viração.
– Tanta coisa despiste em vida
que fugiu de teu peito a brisa.
– E agora, se abre o chão e te abriga,
lençol que não tiveste em vida.
– Se abre o chão e te fecha,
dando-te agora cama e coberta.
– Se abre o chão e te envolve,
como mulher com quem se dorme.

O retirante resolve apressar os passos para chegar logo ao Recife

– Nunca esperei muita coisa,
digo a Vossas Senhorias.
O que me fez retirar

não foi a grande cobiça;
o que apenas busquei
foi defender minha vida
da tal velhice que chega
antes de se inteirar trinta;
se na serra vivi vinte,
se alcancei lá tal medida,
o que pensei, retirando,
foi estendê-la um pouco ainda.
Mas não senti diferença
entre o Agreste e a Caatinga,
e entre a Caatinga e aqui a Mata
a diferença é a mais mínima
Está apenas em que a terra
é por aqui mais macia;
está apenas no pavio,
ou melhor, na lamparina:
pois é igual o querosene
que em toda parte ilumina,
e quer nesta terra gorda
quer na serra, de caliça,
a vida arde sempre com
a mesma chama mortiça.
Agora é que compreendo
por que em paragens tão ricas

o rio não corta em poços
como ele faz na Caatinga:
vive a fugir dos remansos
a que a paisagem o convida,
com medo de se deter,
grande que seja a fadiga.
Sim, o melhor é apressar
o fim desta ladainha,
fim do rosário de nomes
que a linha do rio enfia;
é chegar logo ao Recife,
derradeira ave-maria
do rosário, derradeira
invocação da ladainha,
Recife, onde o rio some
e esta minha viagem se fina.

Chegando ao Recife, o retirante senta-se para descansar ao pé de um muro alto e caiado e ouve, sem ser notado, a conversa de dois coveiros

– O dia de hoje está difícil;
não sei onde vamos parar.

Deviam dar um aumento,
ao menos aos deste setor de cá.
As avenidas do centro são melhores,
mas são para os protegidos:
há sempre menos trabalho
e gorjetas pelo serviço;
e é mais numeroso o pessoal
(toma mais tempo enterrar os ricos).
– Pois eu me daria por contente
se me mandassem para cá.
Se trabalhasses no de Casa Amarela
não estarias a reclamar.
De trabalhar no de Santo Amaro
deve alegrar-se o colega
porque parece que a gente
que se enterra no de Casa Amarela
está decidida a mudar-se
toda para debaixo da terra.
– É que o colega ainda não viu
o movimento: não é o que vê.
Fique-se por aí um momento
e não tardarão a aparecer
os defuntos que ainda hoje
vão chegar (ou partir, não sei).
As avenidas do centro,

onde se enterram os ricos,
são como o porto do mar:
não é muito ali o serviço:
no máximo um transatlântico
chega ali cada dia,
com muita pompa, protocolo,
e ainda mais cenografia.
Mas este setor de cá
é como a estação dos trens:
diversas vezes por dia
chega o comboio de alguém.
– Mas se teu setor é comparado
à estação central dos trens,
o que dizer de Casa Amarela
onde não para o vaivém?
Pode ser uma estação
mas não estação de trem:
será parada de ônibus,
com filas de mais de cem.
– Então por que não pedes,
já que és de carreira, e antigo,
que te mandem para Santo Amaro
se achas mais leve o serviço?
Não creio que te mandassem
para as belas avenidas

onde estão os endereços
e o bairro da gente fina:
isto é, para o bairro dos usineiros,
dos políticos, dos banqueiros,
e no tempo antigo, dos banguezeiros
(hoje estes se enterram em carneiros);
bairro também dos industriais,
dos membros das associações patronais
e dos que foram mais horizontais
nas profissões liberais.
Difícil é que consigas
aquele bairro, logo de saída.
– Só pedi que me mandassem
para as urbanizações discretas,
com seus quarteirões apertados,
com suas cômodas de pedra.
– Esse é o bairro dos funcionários,
inclusive extranumerários,
contratados e mensalistas
(menos os tarefeiros e diaristas).
Para lá vão os jornalistas,
os escritores, os artistas;
ali vão também os bancários,
as altas patentes dos comerciários,
os lojistas, os boticários,

os localizados aeroviários
e os de profissões liberais
que não se liberaram jamais.
– Também um bairro dessa gente
temos no de Casa Amarela:
cada um em seu escaninho,
cada um em sua gaveta,
com o nome aberto na lousa
quase sempre em letras pretas.
Raras as letras douradas,
raras também as gorjetas.
– Gorjetas aqui, também,
só dá mesmo a gente rica,
em cujo bairro não se pode
trabalhar em mangas de camisa;
onde se exige quepe
e farda engomada e limpa.
– Mas não foi pelas gorjetas, não,
que vim pedir remoção:
é porque tem menos trabalho
que quero vir para Santo Amaro;
aqui ao menos há mais gente
para atender a freguesia,
para botar a caixa cheia
dentro da caixa vazia.

— E que disse o Administrador,
se é que te deu ouvido?
— Que quando apareça a ocasião
atenderá meu pedido.
— E do senhor Administrador
isso foi tudo que arrancaste?
— No de Casa Amarela me deixou
mas me mudou de arrabalde.
— E onde vais trabalhar agora,
qual o subúrbio que te cabe?
— Passo para o dos industriários,
que é também o dos ferroviários,
de todos os rodoviários
e praças de pré dos comerciários.
— Passas para o dos operários,
deixas o dos pobres vários;
melhor: não são tão contagiosos
e são muito menos numerosos.
— É, deixo o subúrbio dos indigentes
onde se enterra toda essa gente
que o rio afoga na preamar
e sufoca na baixa-mar.
— É a gente sem instituto,
gente de braços devolutos;
são os que jamais usam luto

e se enterram sem salvo-conduto.
– É a gente dos enterros gratuitos
e dos defuntos ininterruptos.
– É a gente retirante
que vem do Sertão de longe.
– Desenrolam todo o barbante
e chegam aqui na jante.
– E que então, ao chegar,
não têm mais o que esperar.
– Não podem continuar
pois têm pela frente o mar.
– Não têm onde trabalhar
e muito menos onde morar.
– E da maneira em que está
não vão ter onde se enterrar.
– Eu também, antigamente,
fui do subúrbio dos indigentes,
e uma coisa notei
que jamais entenderei:
essa gente do Sertão
que desce para o litoral, sem razão,
fica vivendo no meio da lama,
comendo os siris que apanha;
pois bem: quando sua morte chega,
temos de enterrá-los em terra seca.

— Na verdade, seria mais rápido
e também muito mais barato
que os sacudissem de qualquer ponte
dentro do rio e da morte.
— O rio daria a mortalha
e até um macio caixão de água;
e também o acompanhamento
que levaria com passo lento
o defunto ao enterro final
a ser feito no mar de sal.
— E não precisava dinheiro,
e não precisava coveiro,
e não precisava oração
e não precisava inscrição.
— Mas o que se vê não é isso:
é sempre nosso serviço
crescendo mais cada dia;
morre gente que nem vivia.
— E esse povo lá de riba
de Pernambuco, da Paraíba,
que vem buscar no Recife
poder morrer de velhice,
encontra só, aqui chegando,
cemitérios esperando.
— Não é viagem o que fazem,

vindo por essas caatingas, vargens;
aí está o seu erro:
vêm é seguindo seu próprio enterro.

O retirante aproxima-se de um dos cais do Capibaribe

— Nunca esperei muita coisa,
é preciso que eu repita.
Sabia que no rosário
de cidades e de vilas,
e mesmo aqui no Recife
ao acabar minha descida,
não seria diferente
a vida de cada dia:
que sempre pás e enxadas
foices de corte e capina,
ferros de cova, estrovengas
o meu braço esperariam.
Mas que se este não mudasse
seu uso de toda vida,
esperei, devo dizer,
que ao menos aumentaria
na quartinha, a água pouca,

dentro da cuia, a farinha,
o algodãozinho da camisa,
ou meu aluguel com a vida.
E chegando, aprendo que,
nessa viagem que eu fazia,
sem saber desde o Sertão,
meu próprio enterro eu seguia.
Só que devo ter chegado
adiantado de uns dias;
o enterro espera na porta:
o morto ainda está com vida.
A solução é apressar
a morte a que se decida
e pedir a este rio,
que vem também lá de cima,
que me faça aquele enterro
que o coveiro descrevia:
caixão macio de lama,
mortalha macia e líquida,
coroas de baronesa
junto com flores de aninga,
e aquele acompanhamento
de água que sempre desfila
(que o rio, aqui no Recife,
não seca, vai toda a vida).

Aproxima-se do retirante o morador de um dos mucambos que existem entre o cais e a água do rio

    — Seu José, mestre carpina,
    que habita este lamaçal,
    sabe me dizer se o rio
    a esta altura dá vau?
    sabe me dizer se é funda
    esta água grossa e carnal?
    — Severino, retirante,
    jamais o cruzei a nado;
    quando a maré está cheia
    vejo passar muitos barcos,
    barcaças, alvarengas,
    muitas de grande calado.
    — Seu José, mestre carpina,
    para cobrir corpo de homem
    não é preciso muita água:
    basta que chegue ao abdome,
    basta que tenha fundura
    igual à de sua fome.
    — Severino, retirante,
    pois não sei o que lhe conte;
    sempre que cruzo este rio

costumo tomar a ponte;
quanto ao vazio do estômago,
se cruza quando se come.
– Seu José, mestre carpina,
e quando ponte não há?
quando os vazios da fome
não se tem com que cruzar?
quando esses rios sem água
são grandes braços de mar?
– Severino, retirante,
o meu amigo é bem moço;
sei que a miséria é mar largo,
não é como qualquer poço:
mas sei que para cruzá-la
vale bem qualquer esforço.
– Seu José, mestre carpina,
e quando é fundo o perau?
quando a força que morreu
nem tem onde se enterrar,
por que ao puxão das águas
não é melhor se entregar?
– Severino, retirante,
o mar de nossa conversa
precisa ser combatido,
sempre, de qualquer maneira,

porque senão ele alaga
e devasta a terra inteira.
– Seu José, mestre carpina,
e em que nos faz diferença
que como frieira se alastre,
ou como rio na cheia,
se acabamos naufragados
num braço do mar miséria?
– Severino, retirante,
muita diferença faz
entre lutar com as mãos
e abandoná-las para trás,
porque ao menos esse mar
não pode adiantar-se mais.
– Seu José, mestre carpina,
e que diferença faz
que esse oceano vazio
cresça ou não seus cabedais,
se nenhuma ponte mesmo
é de vencê-lo capaz?
Seu José, mestre carpina,
que lhe pergunte permita:
há muito no lamaçal
apodrece a sua vida?
e a vida que tem vivido

foi sempre comprada à vista?
– Severino, retirante,
sou de Nazaré da Mata,
mas tanto lá como aqui
jamais me fiaram nada:
a vida de cada dia
cada dia hei de comprá-la.
– Seu José, mestre carpina,
e que interesse, me diga,
há nessa vida a retalho
que é cada dia adquirida?
espera poder um dia
comprá-la em grandes partidas?
– Severino, retirante,
não sei bem o que lhe diga:
não é que espere comprar
em grosso de tais partidas,
mas o que compro a retalho
é, de qualquer forma, vida.
– Seu José, mestre carpina,
que diferença faria
se em vez de continuar
tomasse a melhor saída:
a de saltar, numa noite,
fora da ponte e da vida?

Uma mulher, da porta de onde saiu o homem,
anuncia-lhe o que se verá

– Compadre José, compadre,
que na relva estais deitado:
conversais e não sabeis
que vosso filho é chegado?
Estais aí conversando
em vossa prosa entretida:
não sabeis que vosso filho
saltou para dentro da vida?
Saltou para dentro da vida
ao dar seu primeiro grito;
e estais aí conversando;
pois sabei que ele é nascido.

Aparecem e se aproximam da casa do homem
vizinhos, amigos, duas ciganas, etc.

– Todo o céu e a terra
lhe cantam louvor.
Foi por ele que a maré
esta noite não baixou.

– Foi por ele que a maré
fez parar o seu motor:
a lama ficou coberta
e o mau cheiro não voou.
– E a alfazema do sargaço,
ácida, desinfetante,
veio varrer nossas ruas
enviada do mar distante.
– E a língua seca de esponja
que tem o vento terral
veio enxugar a umidade
do encharcado lamaçal.

– Todo o céu e a terra
lhe cantam louvor
e cada casa se torna
num mucambo sedutor.
– Cada casebre se torna
no mucambo modelar
que tanto celebram os
sociólogos do lugar.
– E a banda de maruins
que toda noite se ouvia
por causa dele, esta noite,
creio que não irradia.

— E este rio de água cega,
ou baça, de comer terra,
que jamais espelha o céu,
hoje enfeitou-se de estrelas.

Começam a chegar pessoas trazendo presentes para o recém-nascido

— Minha pobreza tal é
que não trago presente grande:
trago para a mãe caranguejos
pescados por esses mangues;
mamando leite de lama
conservará nosso sangue.
— Minha pobreza tal é
que coisa não posso ofertar:
somente o leite que tenho
para meu filho amamentar;
aqui são todos irmãos,
de leite, de lama, de ar.
— Minha pobreza tal é
que não tenho presente melhor:
trago papel de jornal

para lhe servir de cobertor;
cobrindo-se assim de letras
vai um dia ser doutor.
– Minha pobreza tal é
que não tenho presente caro:
como não posso trazer
um olho-d'água de Lagoa do Carro,
trago aqui água de Olinda,
água da bica do Rosário.

– Minha pobreza tal é
que grande coisa não trago:
trago este canário da terra
que canta corrido e de estalo.
– Minha pobreza tal é
que minha oferta não é rica:
trago daquela bolacha-d'água
que só em Paudalho se fabrica.
– Minha pobreza tal é
que melhor presente não tem:
dou este boneco de barro
de Severino de Tracunhaém.
– Minha pobreza tal é
que pouco tenho o que dar:
dou da pitu que o pintor Monteiro
fabricava em Gravatá.

– Trago abacaxi de Goiana
e de todo o Estado rolete de cana.
– Eis ostras chegadas agora
apanhadas no cais da Aurora.
– Eis tamarindos da Jaqueira
e jaca da Tamarineira.
– Mangabas do Cajueiro
e cajus da Mangabeira.

– Peixe pescado no Passarinho,
carne de boi dos Peixinhos.
– Siris apanhados no lamaçal
que há no avesso da rua Imperial.
– Mangas compradas nos quintais ricos
do Espinheiro e dos Aflitos.
– Goiamuns dados pela gente pobre
da Avenida Sul e da Avenida Norte.

Falam as duas ciganas que haviam aparecido
com os vizinhos

– Atenção peço, senhores,
para esta breve leitura:
somos ciganas do Egito,

lemos a sorte futura.
Vou dizer todas as coisas
que desde já posso ver
na vida desse menino
acabado de nascer:
aprenderá a engatinhar
por aí, com aratus,
aprenderá a caminhar
na lama, com goiamuns,
e a correr o ensinarão
os anfíbios caranguejos,
pelo que será anfíbio
como a gente daqui mesmo.
Cedo aprenderá a caçar:
primeiro, com as galinhas,
que é catando pelo chão
tudo o que cheira a comida;
depois, aprenderá com
outras espécies de bichos:
com os porcos nos monturos,
com os cachorros no lixo.
Vejo-o, uns anos mais tarde,
na ilha do Maruim,
vestido negro de lama,
voltar de pescar siris;

e vejo-o, ainda maior,
pelo imenso lamarão
fazendo dos dedos iscas
para pescar camarão.

– Atenção peço, senhores,
também para minha leitura:
também venho dos Egitos,
vou completar a figura.
Outras coisas que estou vendo
é necessário que eu diga:
não ficará a pescar
de jereré toda a vida.
Minha amiga se esqueceu
de dizer todas as linhas;
não pensem que a vida dele
há de ser sempre daninha.
Enxergo daqui a planura
que é a vida do homem de ofício,
bem mais sadia que os mangues,
tenha embora precipícios.
Não o vejo dentro dos mangues,
vejo-o dentro de uma fábrica:
se está negro não é lama,
é graxa de sua máquina,

coisa mais limpa que a lama
do pescador de maré
que vemos aqui, vestido
de lama da cara ao pé.
E mais: para que não pensem
que em sua vida tudo é triste,
vejo coisa que o trabalho
talvez até lhe conquiste:
que é mudar-se destes mangues
daqui do Capibaribe
para um mucambo melhor
nos mangues do Beberibe.

Falam os vizinhos, amigos, pessoas que vieram com presentes, etc.

— De sua formosura
já venho dizer:
é um menino magro,
de muito peso não é,
mas tem o peso de homem,
de obra de ventre de mulher.
— De sua formosura

deixai-me que diga:
é uma criança pálida,
é uma criança franzina,
mas tem a marca de homem,
marca de humana oficina.
– Sua formosura
deixai-me que cante:
é um menino guenzo
como todos os desses mangues,
mas a máquina de homem
já bate nele, incessante.
– Sua formosura
eis aqui descrita:
é uma criança pequena,
enclenque e setemesinha,
mas as mãos que criam coisas
nas suas já se adivinha.

– De sua formosura
deixai-me que diga:
é belo como o coqueiro
que vence a areia marinha.
– De sua formosura
deixai-me que diga:
belo como o avelós

contra o Agreste de cinza.
– De sua formosura
deixai-me que diga:
belo como a palmatória
na caatinga sem saliva.
– De sua formosura
deixai-me que diga:
é tão belo como um sim
numa sala negativa.

– É tão belo como a soca
que o canavial multiplica.
– Belo porque é uma porta
abrindo-se em mais saídas.
– Belo como a última onda
que o fim do mar sempre adia.
– É tão belo como as ondas
em sua adição infinita.

– Belo porque tem do novo
a surpresa e a alegria.
– Belo como a coisa nova
na prateleira até então vazia.
– Como qualquer coisa nova

inaugurando o seu dia.
– Ou como o caderno novo
quando a gente o principia.

– E belo porque com o novo
todo o velho contagia.
– Belo porque corrompe
com sangue novo a anemia.
– Infecciona a miséria
com vida nova e sadia.
– Com oásis, o deserto,
com ventos, a calmaria.

O carpina fala com o retirante que esteve de fora,
sem tomar parte em nada

– Severino retirante,
deixe agora que lhe diga:
eu não sei bem a resposta
da pergunta que fazia,
se não vale mais saltar
fora da ponte e da vida;
nem conheço essa resposta,

se quer mesmo que lhe diga;
é difícil defender,
só com palavras, a vida,
ainda mais quando ela é
esta que vê, severina;
mas se responder não pude
à pergunta que fazia,
ela, a vida, a respondeu
com sua presença viva.

E não há melhor resposta
que o espetáculo da vida:
vê-la desfiar seu fio,
que também se chama vida,
ver a fábrica que ela mesma,
teimosamente, se fabrica,
vê-la brotar como há pouco
em nova vida explodida;
mesmo quando é assim pequena
a explosão, como a ocorrida;
mesmo quando é uma explosão
como a de há pouco, franzina;
mesmo quando é a explosão
de uma vida severina.

UMA FACA SÓ LÂMINA
(ou: serventia das ideias fixas)
(1955)

Assim como uma bala
enterrada no corpo,
fazendo mais espesso
um dos lados do morto;

assim como uma bala
do chumbo mais pesado,
no músculo de um homem
pesando-o mais de um lado;

qual bala que tivesse
um vivo mecanismo,
bala que possuísse
um coração ativo

igual ao de um relógio
submerso em algum corpo,
ao de um relógio vivo
e também revoltoso,

relógio que tivesse
o gume de uma faca
e toda a impiedade
de lâmina azulada;

assim como uma faca
que sem bolso ou bainha
se transformasse em parte
de vossa anatomia;

qual uma faca íntima
ou faca de uso interno,
habitando num corpo
como o próprio esqueleto

de um homem que o tivesse,
e sempre, doloroso,
de homem que se ferisse
contra seus próprios ossos.

A

Seja bala, relógio,
ou a lâmina colérica,
é contudo uma ausência
o que esse homem leva.

Mas o que não está
nele está como bala:
tem o ferro do chumbo,
mesma fibra compacta.

Isso que não está
nele é como um relógio
pulsando em sua gaiola,
sem fadiga, sem ócios.

Isso que não está
nele está como a ciosa
presença de uma faca,
de qualquer faca nova.

Por isso é que o melhor
dos símbolos usados
é a lâmina cruel
(melhor se de Pasmado):

porque nenhum indica
essa ausência tão ávida
como a imagem da faca
que só tivesse lâmina,

nenhum melhor indica
aquela ausência sôfrega
que a imagem de uma faca
reduzida à sua boca,

que a imagem de uma faca
entregue inteiramente
à fome pelas coisas
que nas facas se sente.

B

Das mais surpreendentes
é a vida de tal faca:
faca ou qualquer metáfora,
pode ser cultivada.

E mais surpreendente
ainda é sua cultura:
medra não do que come
porém do que jejua.

Podes abandoná-la,
essa faca intestina:
jamais a encontrarás
com a boca vazia.

Do nada ela destila
a azia e o vinagre
e mais estratagemas
privativos dos sabres.

E como faca que é,
fervorosa e enérgica,
sem ajuda dispara
sua máquina perversa:

a lâmina despida
que cresce ao se gastar,
que quanto menos dorme
quanto menos sono há,

cujo muito cortar
lhe aumenta mais o corte
e vive a se parir
em outras, como fonte.

(Que a vida dessa faca
se mede pelo avesso:
seja relógio ou bala,
ou seja a faca mesmo).

C

Cuidado com o objeto,
com o objeto cuidado,
mesmo sendo uma bala
desse chumbo ferrado,

porque seus dentes já
a bala os traz rombudos
e com facilidade
se embotam mais no músculo.

Mais cuidado porém
quando for um relógio
com o seu coração
aceso e espasmódico.

É preciso cuidado
por que não se acompasse
o pulso do relógio
com o pulso do sangue,

e seu cobre tão nítido
não confunda a passada
com o sangue que bate
já sem morder mais nada.

Então se for a faca,
maior seja o cuidado:
a bainha do corpo
pode absorver o aço.

Também seu corte às vezes
tende a tornar-se rouco
e há casos em que ferros
degeneram em couro.

O importante é que a faca
o seu ardor não perca
e tampouco a corrompa
o cabo de madeira.

D

Pois essa faca às vezes
por si mesma se apaga.
É a isso que se chama
maré baixa da faca.

Talvez que não se apague
e somente adormeça.
Se a imagem é relógio,
a sua abelha cessa.

Mas quer durma ou se apague:
ao calar tal motor,
a alma inteira se torna
de um alcalino teor

bem semelhante à neutra
substância, quase feltro,
que é a das almas que não
têm facas-esqueleto.

E a espada dessa lâmina,
sua chama antes acesa,
e o relógio nervoso
e a tal bala indigesta,

tudo segue o processo
de lâmina que cega:
faz-se faca, relógio
ou bala de madeira,

bala de couro ou pano,
ou relógio de breu,
faz-se faca sem vértebras,
faca de argila ou mel.

(Porém quando a maré
já nem se espera mais,
eis que a faca ressurge
com todos seus cristais).

E

Forçoso é conservar
a faca bem oculta
pois na umidade pouco
seu relâmpago dura

(na umidade que criam
salivas de conversas,
tanto mais pegajosas
quanto mais confidências).

Forçoso é esse cuidado
mesmo se não é faca
a brasa que te habita
e sim, relógio ou bala.

Não suportam também
todas as atmosferas:
sua carne selvagem
quer câmaras severas.

Mas se deves sacá-los
para melhor sofrê-los,
que seja em algum páramo
ou agreste de ar aberto.

Mas nunca seja ao ar
que pássaros habitem.
Deve ser a um ar duro,
sem sombra e sem vertigem.

E nunca seja à noite,
que esta tem as mãos férteis.
Aos ácidos do sol
seja, ao sol do Nordeste,

à febre desse sol
que faz de arame as ervas,
que faz de esponja o vento
e faz de sede a terra.

F

Quer seja aquela bala
ou outra qualquer imagem,
seja mesmo um relógio
a ferida que guarde,

ou ainda uma faca
que só tivesse lâmina,
de todas as imagens
a mais voraz e gráfica,

ninguém do próprio corpo
poderá retirá-la,
não importa se é bala
nem se é relógio ou faca,

nem importa qual seja
a raça dessa lâmina:
faca mansa de mesa,
feroz pernambucana.

E se não a retira
quem sofre sua rapina,
menos pode arrancá-la
nenhuma mão vizinha.

Não pode contra ela
a inteira medicina
de facas numerais
e aritméticas pinças.

Nem ainda a polícia
com seus cirurgiões
e até nem mesmo o tempo
com os seus algodões.

E nem a mão de quem
sem o saber plantou
bala, relógio ou faca,
imagens de furor.

G

Essa bala que um homem
leva às vezes na carne
faz menos rarefeito
todo aquele que a guarde.

O que um relógio implica
por indócil e inseto,
encerrado no corpo
faz este mais desperto.

E se é faca a metáfora
do que leva no músculo,
facas dentro de um homem
dão-lhe maior impulso.

O fio de uma faca
mordendo o corpo humano,
de outro corpo ou punhal
tal corpo vai armando,

pois lhe mantendo vivas
todas as molas da alma
dá-lhes ímpeto de lâmina
e cio de arma branca,

além de ter o corpo
que a guarda crispado,
insolúvel no sono
e em tudo quanto é vago,

como naquela história
por alguém referida
de um homem que se fez
memória tão ativa

que pode conservar
treze anos na palma
o peso de uma mão,
feminina, apertada.

H

Quando aquele que os sofre
trabalha com palavras,
são úteis o relógio,
a bala e, mais, a faca.

Os homens que em geral
lidam nessa oficina
têm no almoxarifado
só palavras extintas:

umas que se asfixiam
por debaixo do pó
outras despercebidas
em meio a grandes nós;

palavras que perderam
no uso todo o metal
e a areia que detém
a atenção que lê mal.

Pois somente essa faca
dará a tal operário
olhos mais frescos para
o seu vocabulário

e somente essa faca
e o exemplo de seu dente
lhe ensinará a obter
de um material doente

o que em todas as facas
é a melhor qualidade:
a agudeza feroz,
certa eletricidade,

mais a violência limpa
que elas têm, tão exatas,
o gosto do deserto,
o estilo das facas.

I

Essa lâmina adversa,
como o relógio ou a bala,
se torna mais alerta
todo aquele que a guarda,

sabe acordar também
os objetos em torno
e até os próprios líquidos
podem adquirir ossos.

E tudo o que era vago,
toda frouxa matéria,
para quem sofre a faca
ganha nervos, arestas.

Em volta tudo ganha
a vida mais intensa,
com nitidez de agulha
e presença de vespa.

Em cada coisa o lado
que corta se revela,
e elas que pareciam
redondas como a cera

despem-se agora do
caloso da rotina,
pondo-se a funcionar
com todas suas quinas.

Pois entre tantas coisas
que também já não dormem,
o homem a quem a faca
corta e empresta seu corte,

sofrendo aquela lâmina
e seu jato tão frio,
passa, lúcido e insone,
vai fio contra fios.

*

De volta dessa faca,
amiga ou inimiga,
que mais condensa o homem
quanto mais o mastiga;

de volta dessa faca
de porte tão secreto
que deve ser levada
como o oculto esqueleto;

da imagem em que mais
me detive, a da lâmina,
porque é de todas elas
certamente a mais ávida;

pois de volta da faca
se sobe à outra imagem,
àquela de um relógio
picando sob a carne,

e dela àquela outra,
a primeira, a da bala,
que tem o dente grosso
porém forte a dentada

e daí à lembrança
que vestiu tais imagens
e é muito mais intensa
do que pode a linguagem,

e afinal à presença
da realidade, prima,
que gerou a lembrança
e ainda a gera, ainda,

por fim à realidade,
prima, e tão violenta
que ao tentar apreendê-la
toda imagem rebenta.

QUADERNA
(1956-1959)

ESTUDOS PARA UMA BAILADORA ANDALUZA

1. Dir-se-ia, quando aparece
dançando por *siguiriyas*,[5]
que com a imagem do fogo
inteira se identifica.

    Todos os gestos do fogo
    que então possui dir-se-ia:
    gestos das folhas do fogo,
    de seu cabelo, sua língua;

    gestos do corpo do fogo,
    de sua carne em agonia,
    carne de fogo, só nervos,
    carne toda em carne viva.

    Então, o caráter do fogo
    nela também se adivinha:
    mesmo gosto dos extremos,
    de natureza faminta,

    gosto de chegar ao fim
    do que dele se aproxima,
    gosto de chegar-se ao fim,
    de atingir a própria cinza.

Porém a imagem do fogo
é num ponto desmentida:
que o fogo não é capaz
como ela é, nas *siguiriyas*,

de arrancar-se de si mesmo
numa primeira faísca,
nessa que, quando ela quer,
vem e acende-a fibra a fibra,

que somente ela é capaz
de acender-se estando fria,
de incendiar-se com nada,
de incendiar-se sozinha.

2. Subida ao dorso da dança
   (vai carregada ou a carrega?)
   é impossível se dizer
   se é a cavaleira ou a égua.

   Ela tem na sua dança
   toda a energia retesa
   e todo o nervo de quando
   algum cavalo se encrespa.

Isto é: tanto a tensão
de quem vai montado em sela,
de quem monta um animal
e só a custo o debela,

como a tensão do animal
dominado sob a rédea,
que ressente ser mandado
e obedecendo protesta.

Então, como declarar
se ela é égua ou cavaleira:
há uma tal conformidade
entre o que é animal e é ela,

entre a parte que domina
e a parte que se rebela,
entre o que nela cavalga
e o que é cavalgado nela,

que o melhor será dizer
de ambas, cavaleira e égua,
que são de uma mesma coisa
e que um só nervo as inerva,

e que é impossível traçar
nenhuma linha fronteira
entre ela e a montaria:
ela é a égua e a cavaleira.

3. Quando está taconeando
a cabeça, atenta, inclina,
como se buscasse ouvir
alguma voz indistinta.

Há nessa atenção curvada
muito de telegrafista,
atento para não perder
a mensagem transmitida.

Mas o que faz duvidar
possa ser telegrafia
aquelas respostas que
suas pernas pronunciam

é que a mensagem de quem
lá do outro lado da linha
ela responde tão séria
nos passa despercebida.

Mas depois já não há dúvida:
é mesmo telegrafia:
mesmo que não se perceba
a mensagem recebida,

se vem de um ponto no fundo
do tablado ou de sua vida,
se a linguagem do diálogo
é em código ou ostensiva,

já não cabe duvidar:
deve ser telegrafia:
basta escutar a dicção
tão morse e tão desflorida,

linear, numa só corda,
em ponto e traço, concisa,
a dicção em preto e branco
de sua perna polida.

4. Ela não pisa na terra
   como quem a propicia
   para que lhe seja leve
   quando se enterre, num dia.

Ela a trata com a dura
e muscular energia
do camponês que cavando
sabe que a terra amacia.

Do camponês de quem tem
sotaque andaluz caipira
e o tornozelo robusto
que mais se planta que pisa.

Assim, em vez dessa ave
assexuada e mofina,
coisa a que parece sempre
aspirar a bailarina,

esta se quer uma árvore
firme na terra, nativa,
que não quer negar a terra
nem, como ave, fugi-la.

Árvore que estima a terra
de que se sabe família
e por isso trata a terra
com tanta dureza íntima.

Mais: que ao se saber da terra
não só na terra se afinca
pelos troncos dessas pernas
fortes, terrenas, maciças,

mas se orgulha de ser terra
e dela se reafirma,
batendo-a enquanto dança,
para vencer quem duvida.

5. Sua dança sempre acaba
igual que como começa,
tal esses livros de iguais
coberta e contracoberta:

com a mesma posição
como que talhada em pedra:
um momento está estátua,
desafiante, à espera.

Mas se essas duas estátuas
mesma atitude observam,
aquilo que desafiam
parece coisas diversas.

A primeira das estátuas
que ela é, quando começa,
parece desafiar
alguma presença interna

que no fundo dela própria,
fluindo, informe e sem regra,
por sua vez a desafia
a ver quem é que a modela.

Enquanto a estátua final,
por igual que ela pareça,
que ela é, quando um estilo
já impôs à íntima presa,

parece mais desafio
a quem está na assistência,
como para indagar quem
a mesma façanha tenta.

O livro de sua dança
capas iguais o encerram:
com a figura desafiante
de suas estátuas acesas.

6. Na sua dança se assiste
como ao processo da espiga:
verde, envolvida de palha;
madura, quase despida.

Parece que sua dança
ao ser dançada, à medida
que avança, a vai despojando
da folhagem que a vestia.

Não só da vegetação
de que ela dança vestida
(saias folhudas e crespas
do que no Brasil é chita)

mas também dessa outra flora
a que seus braços dão vida,
densa floresta de gestos
a que dão vida e agonia.

Na verdade, embora tudo
aquilo que ela leva em cima,
embora, de fato, sempre,
continue nela a vesti-la,

parece que vai perdendo
a opacidade que tinha
e, como a palha que seca,
vai aos poucos entreabrindo-a.

Ou então é que essa folhagem
vai ficando impercebida:
porque, terminada a dança
embora a roupa persista,

a imagem que a memória
conservará em sua vista
é a espiga, nua e espigada,
rompente e esbelta, em espiga.

PAISAGEM PELO TELEFONE

Sempre que no telefone
me falavas, eu diria
que falavas de uma sala
toda de luz invadida,

sala que pelas janelas,
duzentas, se oferecia
a alguma manhã de praia,
mais manhã porque marinha,

a alguma manhã de praia
no prumo do meio-dia,
meio-dia mineral
de uma praia nordestina,

Nordeste de Pernambuco,
onde as manhãs são mais limpas,
Pernambuco do Recife,
de Piedade, de Olinda,

sempre povoado de velas,
brancas, ao sol estendidas,
de jangadas, que são velas
mais brancas porque salinas,

que, como muros caiados
possuem luz intestina,
pois não é o sol quem as veste
e tampouco as ilumina,

mais bem, somente as desveste
de toda sombra ou neblina,
deixando que livres brilhem
os cristais que dentro tinham.

Pois, assim, no telefone
tua voz me parecia
como se de tal manhã
estivesses envolvida,

fresca e clara, como se
telefonasses despida,
ou, se vestida, somente
de roupa de banho, mínima,

e que por mínima, pouco
de tua luz própria tira,
e até mais, quando falavas
no telefone, eu diria

que estavas de todo nua,
só de teu banho vestida,
que é quando tu estás mais clara
pois a água nada embacia,

sim, como o sol sobre a cal
seis estrofes mais acima,
a água clara não te acende:
libera a luz que já tinhas.

A MULHER E A CASA

Tua sedução é menos
de mulher do que de casa:
pois vem de como é por dentro
ou por detrás da fachada.

Mesmo quando ela possui
tua plácida elegância,
esse teu reboco claro,
riso franco de varandas,

uma casa não é nunca
só para ser contemplada;
melhor: somente por dentro
é possível contemplá-la.

Seduz pelo que é dentro,
ou será, quando se abra;
pelo que pode ser dentro
de suas paredes fechadas;

pelo que dentro fizeram
com seus vazios, com o nada;
pelos espaços de dentro,
não pelo que dentro guarda;

pelos espaços de dentro:
seus recintos, suas áreas,
organizando-se dentro
em corredores e salas,

os quais sugerindo ao homem
estâncias aconchegadas,
paredes bem revestidas
ou recessos bons de cavas,

exercem sobre esse homem
efeito igual ao que causas:
a vontade de corrê-la
por dentro, de visitá-la.

IMITAÇÃO DA ÁGUA

De flanco sobre o lençol,
paisagem já tão marinha,
a uma onda deitada,
na praia, te parecias.

Uma onda que parava
ou melhor: que se continha;
que contivesse um momento
seu rumor de folhas líquidas.

Uma onda que parava
naquela hora precisa
em que a pálpebra da onda
cai sobre a própria pupila.

Uma onda que parara
ao dobrar-se, interrompida,
que imóvel se interrompesse
no alto de sua crista

e se fizesse montanha
(por horizontal e fixa),
mas que ao se fazer montanha
continuasse água ainda.

Uma onda que guardasse
na praia cama, finita,
a natureza sem fim
do mar de que participa,

e em sua imobilidade,
que precária se adivinha,
o dom de se derramar
que as águas faz femininas

mais o clima de águas fundas,
a intimidade sombria
e certo abraçar completo
que dos líquidos copias.

HISTÓRIA NATURAL

1. O amor de passagem,
   o amor acidental,
   se dá entre dois corpos
   no plano do animal,

   quando são mais sensíveis
   à atração pelo sal,
   têm o dom de mover-se
   e saltar o curral.

   O encontro realizado,
   juntados em casal,
   eis que vão assumindo
   o cerimonial

   que agora é já difícil
   definir-se de qual:
   se ainda do semovente
   ou já do vegetal

   (pois os gestos revelam
   o ritmo luminal
   de planta, que se move
   mas no mesmo local).

No fim, já não se sabe
se ainda é vegetal
ou se a planta se fez
formação mineral

à força de querer
permanecer tal qual,
na permanência aguda
que é própria do cristal,

que não só pode ser
o imóvel mais cabal
mas que ao estar imóvel
está aceso e atual.

2. Depois vem o regresso:
sobem do mineral
para voltar à tona
do reino habitual.

Vem o desintegrar-se
dessa pedra ou metal
em que antes se soldara
o duplo vegetal,

Vem o difícil de
semaranhar-se mal,
desabraçar-se lento
dessa planta dual

que enquanto embaraçada
lembrava um cipoal
(no de parecer uma
sendo mesmo plural).

Vem o desabraçar-se
sem querer, gradual,
de plantas que não querem
subir ao animal

certo por compreender
que o bicho inicial
a que agora regressam
(já vão no vegetal),

certo por compreender
que o bicho original
a que já regressaram
desliados, afinal,

não mais se encontrarão
no palheiro ou areal
multimultiplicado
de qualquer capital.

"A PALO SECO"

1.1. Se diz *a palo seco*
 o *cante* sem guitarra;
 o *cante* sem; o *cante*;
 o *cante* sem mais nada;

 se diz *a palo seco*
 a esse *cante* despido:
 ao *cante* que se canta
 sob o silêncio a pino.

1.2. O *cante a palo seco*
 é o *cante* mais só:
 é cantar num deserto
 devassado de sol;

 é o mesmo que cantar
 num deserto sem sombra
 em que a voz só dispõe
 do que ela mesma ponha.

1.3. O *cante a palo seco*
 é um *cante* desarmado:
 só a lâmina da voz
 sem a arma do braço;

      que o *cante a palo seco*
      sem tempero ou ajuda
      tem de abrir o silêncio
      com sua chama nua.

1.4. O *cante a palo seco*
      não é um *cante* a esmo:
      exige ser cantado
      com todo o ser aberto;

      é um *cante* que exige
      o ser-se ao meio-dia,
      que é quando a sombra foge
      e não medra a magia.

2.1. O silêncio é um metal
      de epiderme gelada,
      sempre incapaz das ondas
      imediatas da água;

      a pele do silêncio
      pouca coisa arrepia:
      o *cante a palo seco*
      de diamante precisa.

2.2. Ou o silêncio é pesado,
é um líquido denso,
que jamais colabora
nem ajuda com ecos;

mais bem, esmaga o *cante*
e afoga-o, se indefeso:
a palo seco é um *cante*
submarino ao silêncio.

2.3. Ou o silêncio é levíssimo,
é líquido sutil
que se coa nas frestas
que no *cante* sentiu;

o silêncio paciente
vagaroso se infiltra,
apodrecendo o *cante*
de dentro, pela espinha.

2.4. Ou o silêncio é uma tela
que difícil se rasga
e que quando se rasga
não demora rasgada;

quando a voz cessa, a tela
se apressa em se emendar:
tela que fosse de água,
ou como tela de ar.

3.1. *A palo seco* é o *cante*
de todos mais lacônico,
mesmo quando pareça
estirar-se um quilômetro:

enfrentar o silêncio
assim despido e pouco
tem de forçosamente
deixar mais curto o fôlego.

3.2. *A palo seco* é o *cante*
de grito mais extremo:
tem de subir mais alto
que onde sobe o silêncio;

é cantar contra a queda,
é um *cante* para cima,
em que se há de subir
cortando, e contra a fibra.

3.3. *A palo seco* é o *cante*
de caminhar mais lento:
por ser a contrapelo,
por ser a contravento;

é *cante* que caminha
com passo paciente:
o vento do silêncio
tem a fibra de dente.

3.4. *A palo seco* é o *cante*
que mostra mais soberba;
e que não se oferece:
que se toma ou se deixa;

cante que não se enfeita,
que tanto se lhe dá;
é *cante* que não canta,
cante que aí está.

4.1. *A palo seco* canta
o pássaro sem bosque,
por exemplo: pousado
sobre um fio de cobre;

      a palo seco canta
      ainda melhor esse fio
      quando sem qualquer pássaro
      dá o seu assovio.

4.2. *A palo seco* cantam
      a bigorna e o martelo,
      o ferro sobre a pedra,
      o ferro contra o ferro;

      a palo seco canta
      aquele outro ferreiro:
      o pássaro araponga
      que inventa o próprio ferro.

4.3. *A palo seco* existem
      situações e objetos:
      Graciliano Ramos,
      desenho de arquiteto,

      as paredes caiadas,
      a elegância dos pregos,
      a cidade de Córdoba,
      o arame dos insetos.

4.4. Eis uns poucos exemplos
de ser *a palo seco,*
dos quais se retirar
higiene ou conselho:

não o de aceitar o seco
por resignadamente,
mas de empregar o seco
porque é mais contundente.

POEMA(S) DA CABRA

§ (Nas margens do Mediterrâneo
não se vê um palmo de terra
que a terra tivesse esquecido
de fazer converter em pedra.

Nas margens do Mediterrâneo
não se vê um palmo de pedra
que a pedra tivesse esquecido
de ocupar com sua fera.

Ali, onde nenhuma linha
pode lembrar, porque mais doce,
o que até chega a parecer
suave serra de uma foice,

não se vê um palmo de terra,
por mais pedra ou fera que seja,
que a cabra não tenha ocupado
com sua planta fibrosa e negra).

§ A cabra é negra. Mas seu negro
não é o negro do ébano douto
(que é quase azul) ou o negro rico
do jacarandá (mais bem roxo).

O negro da cabra é o negro
do preto, do pobre, do pouco.
Negro da poeira, que é cinzento.
Negro da ferrugem, que é fosco.

Negro do feio, às vezes branco.
Ou o negro do pardo, que é pardo.
Disso que não chega a ter cor
ou perdeu toda cor no gasto.

É o negro da segunda classe.
Do inferior (que é sempre opaco).
Disso que não pode ter cor
porque em negro sai *mais barato*.

§ Se o negro quer dizer noturno
o negro da cabra é solar.
Não é o da cabra o negro noite.
É o negro de sol. Luminar.

Será o negro do queimado
mais que o negro da escuridão.
Negra é do sol que acumulou.
É o negro mais bem do carvão.

Não é o negro do macabro.
Negro funeral. Nem do luto.
Tampouco é o negro do mistério,
de braços cruzados, eunuco.

É mesmo o negro do carvão.
O negro da hulha. Do coque.
Negro que pode haver na pólvora:
negro de vida, não de morte.

§ O negro da cabra é o negro
da natureza dela cabra.
Mesmo dessa que não é negra,
como a do Moxotó, que é clara.

O negro é o duro que há no fundo
da cabra. De seu natural.
Tal no fundo da terra há pedra,
no fundo da pedra, metal.

O negro é o duro que há no fundo
da natureza sem orvalho
que é a da cabra, esse animal
sem folhas, só raiz e talo,

que é a da cabra, esse animal
de alma-caroço, de alma córnea,
sem moelas, úmidos lábios,
pão sem miolo, *apenas côdea.*

§ Quem já encontrou uma cabra
que tivesse ritmos domésticos?
O grosso derrame do porco,
da vaca, de sono e de tédio?

Quem encontrou cabra que fosse
animal de sociedade?
Tal o cão, o gato, o cavalo,
diletos do homem e da arte?

A cabra guarda todo o arisco,
rebelde, do animal selvagem,
viva demais que é para ser
animal dos de luxo ou pajem.

Viva demais para não ser,
quando colaboracionista,
o reduzido irredutível,
o *inconformado conformista.*

§ A cabra é o melhor instrumento
de verrumar a terra magra.
Por dentro da serra e da seca
nada chega onde chega a cabra.

Se a serra é terra, a cabra é pedra.
Se a serra é pedra, é pedernal.
Sua boca é sempre mais dura
que a serra, não importa qual.

A cabra tem o dente frio,
a insolência do que mastiga.
Por isso o homem vive da cabra
mas sempre a vê como inimiga.

Por isso quem vive da cabra
e não é capaz do seu braço
desconfia sempre da cabra:
diz que tem *parte com o Diabo.*

§ Não é pelo vício da pedra,
por preferir a pedra à folha.
É que a cabra é expulsa do verde,
trancada do lado de fora.

A cabra é trancada por dentro.
Condenada à caatinga seca.
Liberta, no vasto sem nada,
proibida, na verdura estreita.

Leva no pescoço uma canga
que a impede de furar as cercas.
Leva os muros do próprio cárcere:
prisioneira e carcereira.

Liberdade de fome e sede
da ambulante prisioneira.
Não é que ela busque o difícil:
é que a sabem *capaz de pedra*.

§ A vida da cabra não deixa
lazer para ser fina ou lírica
(tal o urubu, que em doces linhas
voa à procura da carniça).

Vive a cabra contra a pendente,
sem os êxtases das descidas.
Viver para a cabra não é
re-ruminar-se introspectiva.

É, literalmente, cavar
a vida sob a superfície,
que a cabra, proibida de folhas,
tem de desentranhar raízes.

Eis por que é a cabra grosseira,
de mãos ásperas, realista.
Eis por que, mesmo ruminando,
não é *jamais contemplativa.*

§ Um núcleo de cabra é visível
por debaixo de muitas coisas.
Com a natureza da cabra
outras aprendem sua crosta.

Um núcleo de cabra é visível
em certos atributos roucos
que têm as coisas obrigadas
a fazer de seu corpo couro.

A fazer de seu couro sola,
a armar-se em couraças, escamas:
como se dá com certas coisas
e muitas condições humanas.

Os jumentos são animais
que muito aprenderam da cabra.
O nordestino, convivendo-a,
fez-se de sua *mesma casta*.

§ O núcleo da cabra é visível
debaixo do homem do Nordeste.
Da cabra lhe vem o escarpado
e o estofo nervudo que o enche.

Se adivinha o núcleo de cabra
no jeito de existir, Cardozo,
que reponta sob seu gesto
como esqueleto sob o corpo.

E é outra ossatura mais forte
que o esqueleto comum, de todos;
debaixo do próprio esqueleto,
no fundo centro de seus ossos.

A cabra deu ao nordestino
esse esqueleto mais de dentro:
o aço do osso, que resiste
quando o osso perde seu cimento.

§ (O Mediterrâneo é mar clássico,
com águas de mármore azul.
Em nada me lembra das águas
sem marca do rio Pajeú.

As ondas do Mediterrâneo
estão no mármore traçadas.
Nos rios do Sertão, se existe,
a água corre despenteada.

As margens do Mediterrâneo
parecem deserto balcão.
Deserto, mas de terras nobres
não da piçarra do Sertão.

Mas não minto o Mediterrâneo
nem sua atmosfera maior
descrevendo-lhe as cabras negras
em termos das do Moxotó).

DOIS PARLAMENTOS (excertos)
(1958-1960)

CONGRESSO NO POLÍGONO
DAS SECAS

(ritmo senador; sotaque sulista)

1.
– Cemitérios gerais
onde não só estão, os mortos.
– Eles são muitos mais completos
do que todos os outros.
– Que não são só depósito
da vida que recebem, morta.
– Mas cemitérios que produzem
e nem mortos importam.
– Eles mesmos transformam
a matéria-prima que têm.
– Trabalham-na em todas as fases,
do campo aos armazéns.
– Cemitérios autárquicos,
se bastando em todas as fases.
– São eles mesmos que produzem
os defuntos que jazem.

2.
– Nestes cemitérios gerais
não há a morte excesso.
– Ela não dá ao morto

maior volume nem mais peso.
– A morte aqui não é bagagem
nem excesso de carga.
– Aqui, ela é o vazio
que faz com que se murche a saca.
– Que esvazia mais uma saca
aliás nunca plena.
– Ela esvazia o morto,
a morte aqui jamais o emprenha.
– A morte aqui não indigesta,
mais bem, é morte azia.
– É o que come por dentro
o invólucro que nada envolvia.

    3.

– Nestes cemitérios gerais
os mortos não variam nada.
– É como se morrendo
nascessem de uma raça.
– Todos estes mortos parece
que são irmãos, é o mesmo porte.
– Senão da mesma mãe,
irmãos da mesma morte.
– E mais ainda: que irmãos gêmeos,

do molde igual do mesmo ovário.
– Concebidos durante
a mesma seca-parto.
– Todos filhos da morte-mãe,
ou mãe-morte, que é mais exato.
– De qualquer forma, todos,
gêmeos, e morti-natos.

4.

– Cemitérios gerais
que não exibem restos.
– Tão sem ossos que até parece
que cachorros passaram perto.
– De mortos restam só
pouquíssimos sinais.
– Muito menos do que se espera
com a propaganda que se faz.
– Como que os cemitérios
roem seus próprios mortos.
– É como se, como um cachorro,
após roer, cobrissem os ossos.
– Eis por que eles são
para o turista um logro.
– Se pensa: não pensei que a morte
houvesse desfeito tão poucos.

5.

– Cemitérios gerais
onde não é possível que se ache
o que é de todo cemitério:
os mármores em arte.
– Nem mesmo podem ser
inspiração para os artistas,
estes cemitérios sem vida,
frios, de estatística.
– Se muito, podem ser
tema para as artes retóricas,
que os celebram porém do Sul,
longe da tumba toda.
– Isto é, para a retórica
de câmara (câmara política)
que se exercita humanizando
estes mortos de cifra.

8.

– Cemitérios gerais
que os restos não largam
até que os tenham trabalhado
com sua parcial matemática.

– E terem dividido
o resto pelo nada,
e então restado do que resta
a pouca coisa que restava.
– Aqui, toda aritmética
dá o resultado nada,
pois dividir e subtrair
são as operações empregadas.
– E quando alguma coisa
é aqui multiplicada
será sempre para elevar
o resto à potência do nada.

12.

– Cemitérios gerais
que dos restos não cuidam
nem fazem prorrogar a vida
ainda nos mortos, porventura.
– E cujos restos são
de defuntos defuntos,
por falta de folhas, formigas,
para prolongar seu circuito.
– Nem conhecem a fase,
prima, da podridão,

em que os defuntos se projetam,
quando nada, em exalação.
– Só restos minerais,
infecundos, calcários,
se encontram nestes cemitérios,
menos cemitérios que ossários.

16.

– Cemitérios gerais
que não toleram restos.
– Nem mesmo um pouco que se possa
encomendar ao céu ou ao inferno.
– Eles, todos os restos
da mesma forma tratam.
– Talvez porque os mortos que têm
não tenham tal resíduo, a alma.
– Talvez porque esta tem
consistência mais rala.
– E seja no ar fácil sorvida
como uma gota em outra de água.
– Não há é por que usar,
aqui, a imagem da água.
– Melhor dizer: como uma gota
de nada em outra de nada.

FESTA NA CASA-GRANDE

(ritmo deputado; sotaque nordestino)

1.

– O cassaco de engenho,
o cassaco de usina:
– O cassaco é um só
com diferente rima.
– O cassaco de engenho
banguê ou fornecedor:
– A condição cassaco
é o denominador.
– O cassaco de engenho
de qualquer Pernambucano:
– Dizendo-se cassaco
se terá dito tudo.
– Seja qual for seu nome,
seu trabalho, seu soldo:
– Dizendo-se cassaco
se terá dito todos.

2.

– O cassaco de engenho
de longe é como gente:
– De perto é que se vê
o que há de diferente.

– O cassaco de engenho,
de perto, ao olho esperto:
– Em tudo é como homem,
só que de menos preço.
– Não há nada de homem
que não tenha, em detalhe,
e tudo por inteiro,
nada pela metade.
– É igual, mas apesar,
parece recortado
com a tesoura cega
de alfaiate barato.

3.

– O cassaco de engenho
quando está dormindo:
– Se vê que é incapaz
de sonhos privativos.
– Nele não há esse ar
distante ou distraído
de quem detrás das pálpebras
um filme está assistindo.
– Detrás de suas pálpebras
haverá apenas treva

e de certo nenhum
sonho ali se projeta.
– O cassaco de engenho
dorme em sala deserta:
– A nenhum sonho-filme
assiste, nem tem tela.

4.

– O cassaco de engenho
faz amarelamente
toda coisa que toca
tocando-a, simplesmente.
– É o contrário do barro
das casas de purgar
que se bota no açúcar
a fim de o branquear.
– O cassaco de engenho
purga tudo ao contrário:
– Como o barro, se infiltra,
mas deixa tudo barro.
– Limpa tudo do limpo
e deixa em tudo nódoa:
– A que há em sua camisa,
em sua vida, no que toca.

5.

– O cassaco de engenho
quando doente-com-febre:
– Não de febre amarela
mas da de sezões, verde.
– Por fora, se se toca
no seu corpo de gente:
– Se pensa que a caldeira
dele afinal se acende.
– Contudo se se toca
esse corpo por dentro:
– Se vê que, se é caldeira,
nem tem assentamento.
– Que se é engenho, é
de fogo frio ou morto:
– Engenho que não mói
que só fornece aos outros.

10.

– O cassaco de engenho
quando vai morrendo:
– Então seu amarelo
se ilumina por dentro.
– Adquire a transparência

própria ao cristal anêmico:
– Aquela de que a cera
dá o melhor exemplo.
– Adquire a transparência
própria de qualquer vela:
– Da mesma em cuja ponta
plantam a chama que o vela.
– A dele, então, é igual
à carne dessa vela:
– E a chama se pergunta
por que não a acendem nela.

        15.

– O cassaco de engenho
quando o carregam, morto:
– É um caixão vazio
metido dentro de outro.
– É morte de vazio
a que carrega dentro:
– E como é de vazio,
ei-lo que não tem dentros.
– Do caixão alugado
nem chega a ser miolo:
– Pois como ele é vazio,

se muito, será forro.
– O enterro do cassaco
é o enterro de um coco:
– Uns poucos envoltórios
em volta do centro oco.

20.

– O cassaco de engenho
defunto e já no chão:
– Para rápido acabá-lo
tudo faz mutirão.
– O massapê, piçarra,
e a Mata faz Sertão.
– E o sol, para ajudar,
se é inverno faz verão.
– Para roer os ossos
os vermes viram cão:
– E outra vez vermes, vendo
o giz que os ossos são.
– E o vento canavial
dá também sua demão:
– Varre-lhe os gases da alma,
levando-a (lavando), são.

SERIAL
(1959-1961)

ESCRITOS COM O CORPO

§ Ela tem tal composição
e bem entramada sintaxe
que só se pode apreendê-la
em conjunto: nunca em detalhe.

Não se vê nenhum termo, nela,
em que a atenção mais se retarde,
e que, por mais significante,
possua, exclusivo, sua chave.

Nem é possível dividi-la,
como a uma sentença, em partes;
menos, do que nela é sentido,
se conseguir uma paráfrase.

E assim como, apenas completa,
ela é capaz de revelar-se,
apenas um corpo completo
tem, de apreendê-la, faculdade.

Apenas um corpo completo
e sem dividir-se em análise
será capaz do corpo a corpo
necessário a quem, sem desfalque,

queira prender todos os temas
que pode haver no corpo frase:
que ela, ainda sem se decompor,
revela então, em intensidade.

§ De longe como Mondrians
em reproduções de revista
ela só mostra a indiferente
perfeição da geometria.

Porém de perto, o original
do que era antes correção fria,
sem que a câmara da distância
e suas lentes interfiram,

porém de perto, ao olho perto,
sem intermediárias retinas,
de perto, quando o olho é tacto,
ao olho imediato em cima,

se descobre que existe nela
certa insuspeitada energia
que aparece nos Mondrians
se vistos na pintura viva.

E que porém de um Mondrian
num ponto se diferencia:
em que nela essa vibração,
que era de longe impercebida,

pode abrir mão da cor acesa
sem que um Mondrian não vibra,
e vibrar com a textura em branco
da pele, ou da tela, sadia.

§ Quando vestido unicamente
com a macieza nua dela,
não apenas sente despido:
sim, de uma forma mais completa.

Então, de fato, está despido,
senão dessa roupa que é ela.
Mas essa roupa nunca veste:
despe de uma outra mais interna.

É que o corpo quando se veste
de ela roupa, da seda ela,
nunca sente mais definido
como com as roupas de regra.

Sente ainda mais que despido:
pois a pele dele, secreta,
logo se esgarça, e eis que ele assume
a pele dela, que ela empresta.

Mas também a pele emprestada
dura bem pouco enquanto véstia:
com pouco, ela toda, também,
já se esgarça, se desespessa,

até acabar por nada ter
nem de epiderme nem de seda:
e tudo acabe confundido,
nudez comum, sem mais fronteira.

§ Está, hoje que não está,
numa memória mais de fora.
De fora: como se estivesse
num tipo externo de memória.

Numa memória para o corpo,
externa ao corpo, como bolsa:
que como bolsa, a certos gestos,
o corpo que a leva abalroa.

Memória exterior ao corpo
e não da que de dentro aflora;
e que, feita que é para o corpo,
carrega presenças corpóreas.

Pois nessa memória é que ela,
inesperada, se incorpora:
na presença, coisa, volume,
imediata ao corpo, sólida,

e que ora é volume maciço,
entre os braços, neles envolta,
e que ora é volume vazio,
que envolve o corpo, ou o acoita:

como o de uma coisa maciça
que ao mesmo tempo fosse oca,
que o corpo teve, onde já esteve,
e onde o ter e o estar igual fora.

GRACILIANO RAMOS:[6]

Falo somente com o que falo:
com as mesmas vinte palavras
girando ao redor do sol
que as limpa do que não é faca:

de toda uma crosta viscosa,
resto de janta abaianada,
que fica na lâmina e cega
seu gosto da cicatriz clara.

* * *

Falo somente do que falo:
do seco e de suas paisagens,
Nordestes, debaixo de um sol
ali do mais quente vinagre:

que reduz tudo ao espinhaço,
cresta o simplesmente folhagem,
folha prolixa, folharada,
onde possa esconder-se a fraude.

* * *

Falo somente por quem falo:
por quem existe nesses climas
condicionados pelo sol,
pelo gavião e outras rapinas:

e onde estão os solos inertes
de tantas condições caatinga
em que só cabe cultivar
o que é sinônimo da míngua.

* * *

Falo somente para quem falo:
quem padece sono de morto
e precisa um despertador
acre, como o sol sobre o olho:

que é quando o sol é estridente,
a contrapelo, imperioso,
e bate nas pálpebras como
se bate numa porta a socos.

O SIM CONTRA O SIM[7]

Marianne Moore, em vez de lápis,
emprega quando escreve
instrumento cortante:
bisturi, simples canivete.

Ela aprendeu que o lado claro
das coisas é o anverso
e por isso as disseca:
para ler textos mais corretos.

Com mão direta ela as penetra,
com lápis bisturi,
e com eles compõe,
de volta, o verso cicatriz.

E porque é limpa a cicatriz,
econômica, reta,
mais que o cirurgião
se admira a lâmina que opera.

Francis Ponge, outro cirurgião,
adota uma outra técnica:
gira-as nos dedos, gira
ao redor das coisas que opera.

Apalpa-as com todos os dez
mil dedos da linguagem:
não tem bisturi reto
mas um que se ramificasse.

Com ele envolve tanto a coisa
que quase a enovela
e quase, a enovelando,
se perde, enovelado nela.

E no instante em que até parece
que já não a penetra,
ele entra sem cortar:
saltou por descuidada fresta.

* * *

Miró sentia a mão direita
demasiado sábia
e que de saber tanto
já não podia inventar nada.

Quis então que desaprendesse
o muito que aprendera,
a fim de reencontrar
a linha ainda fresca da esquerda.

Pois que ela não pôde, ele pôs-se
a desenhar com esta
até que, se operando,
no braço direito ele a enxerta.

A esquerda (se não se é canhoto)
é mão sem habilidade:
reaprende a cada linha,
cada instante, a recomeçar-se.

Mondrian, também, da mão direita
andava desgostado;
não por ser ela sábia:
porque, sendo sábia, era fácil.

Assim, não a trocou de braço:
queria-a mais honesta
e por isso enxertou
outras mais sábias dentro dela.

Fez-se enxertar réguas, esquadros
e outros utensílios
para obrigar a mão
a abandonar todo improviso.

Assim foi que ele, à mão direita,
impôs tal disciplina:
fazer o que sabia
como se o aprendesse ainda.

* * *

Cesário Verde usava a tinta
de forma singular:
não para colorir,
apesar da cor que nele há.

Talvez que nem usasse tinta,
somente água clara,
aquela água de vidro
que se vê percorrer a Arcádia.

Certo, não escrevia com ela,
ou escrevia lavando:
relavava, enxaguava
seu mundo em sábado de banho.

Assim chegou aos tons opostos
das maçãs que contou:
rubras dentro da cesta
de quem no rosto as tem sem cor.

Augusto dos Anjos não tinha
dessa tinta água clara.
Se água, do Paraíba
nordestino, que ignora a Fábula.

Tais águas não são lavadeiras,
deixam tudo encardido:
o vermelho das chitas
ou o reluzente dos estilos.

E quando usadas como tinta
escrevem negro tudo:
dão um mundo velado
por véus de lama, véus de luto.

Donde decerto o timbre fúnebre,
dureza da pisada,
geometria de enterro
de sua poesia enfileirada.

* * *

Juan Gris levava uma luneta
por debaixo do olho:
uma lente de alcance
que usava porém do lado outro.

As lentes foram construídas
para aproximar as coisas,
mas a dele as recuava
à altura de um avião que voa.

Na lente avião, sobrevoava
o atelier, a mesa,
organizando as frutas
irreconciliáveis na fruteira.

Da lente avião é que podia
pintar sua natureza:
com o azul da distância
que a faz mais simples e coesa.

Jean Dubuffet, se usa luneta
é do lado correto;
mas não com o fim vulgar
com que se utiliza o aparelho.

Não intenta aproximar o longe
mas o que está próximo,
fazendo com a luneta
o que se faz com o microscópio.

E quando aproximou o próximo
até tacto fazê-lo,
faz dela estetoscópio
e apalpa tudo com o olhar dedo.

Com essa luneta feita dedo
procede à auscultação
das peles mais inertes:
que depois pinta em ebulição.

VELÓRIO DE UM COMENDADOR

§ Quem quer que o veja defunto
havendo-o tratado em vida,
pensará: todo um alagado
coube aqui nesta bacia.

Resto de banho, água choca,
na banheira do salão,
sua preamar permanente
se empoça, em toda a acepção.

A brisa passa nas flores,
baronesas no morto-água,
mas nem de leve arrepia
a pele dela, estagnada.

Talvez porque qualquer água
fique mais densa, se morta,
mais pesada aos dedos finos
das brisas, ou a outras cócegas.

Não há dúvida, a água morta
se torna muito mais densa:
ao menos, se vê boiando,
nesta, o metal da comenda.

Não se entende é por que a água
não arrebenta o caixão:
mais densa, pesará mais,
terá mais forte pressão.

Como seja: agora um dique
detém, de simples madeira,
uma água morta que, viva,
arrebentava represas.

E uma banheira contém,
exposto a que alguém derrame,
todo o mar de água que ele era,
sem confins, mar de água mangue.

§ Todos que o vejam assim,
coberto de tantas flores,
pensarão que num canteiro,
não num caixão, está hoje.

O tamanho e as proporções
fazem o engano mais perfeito;
pois é idêntico o abaulado
de leirão e de canteiro.

Nem por estar numa sala,
está essa imagem desfeita:
se em salas não há jardins,
há contudo jardineiras.

E só não se enganaria
nem cairia na imagem,
alguém que entendesse muito
de jardins e reparasse:

que a terra do tal canteiro
deve ser da mais salobre,
dado o pouco tempo que abre
o guarda-sol dessas flores

com que os amigos que tinha
o quiseram ajardinar,
e que murcham, se bem cheguem
abertas de par em par.

Na verdade, as flores todas
fecham rápido suas tendas.
A não ser a flor eterna,
por ser metal, da comenda,

que, de metal, pode ser
que dure e nunca enferruje.
Ou um pouco mais: pois parece
que já a ataca o chão palustre.

§ Embarcado no caixão,
parece que ele, afinal,
encontrou o seu veículo:
a marca e o modelo ideal.

Buscava um carro ajustado
ao compasso do que foi;
mais ronceiro, se possível,
que os mesmos carros de boi.

Mas dos que achava dizia
perigosos de se usar.
Igual dizia dos livros
e das correntes de ar.

E agora tem, no caixão,
esse veículo buscado;
não é um carro, porém
é um veículo, um barco.

O que buscava, queria
sem rodas, como este mesmo;
rodas lhe davam vertigem
senão em comenda, ao peito.

E isso porque quando via
qualquer condecoração,
se bem de forma rebelde,
de cusparada ou explosão,

via nela só o metal,
a âncora a atar-se ao pescoço
para não deixar que nada
se mova de um mesmo porto.

Morto, ei-lo afinal que encontra
seu tão buscado modelo:
o barco em que vai, parado,
não tem roda, é todo freios.

§ Está no caixão, exposto
como uma mercadoria;
à mostra, para vender,
quem antes tudo vendia;

antes, abria as barricas
para mostrar a qualidade,
ao olfato do freguês,
de seu bacalhau, seu charque;

ou com gestos joalheiros
espalhava no balcão
para melhor demonstrá-las
suas gemas: milho, feijão;

e o que se julga com o tacto,
fubás, farinha do reino,
ele mostrava escorrendo-os,
sensual, por entre os dedos.

Mostrar amostras foi lema
de seu armazém de estiva,
e eis que agora aqui à mostra
o mercador mercadoria,

mesmo com essa comenda
no peito, a recomendá-lo,
e é nele como a medalha
de um produto premiado,

e assim acondicionado
como está, em caixão vitrina,
bem mais fino que os caixotes
onde mostrava as farinhas,

mesmo com essa comenda
e essa embalagem de flor,
eis que ele, em mercadoria,
não encontra comprador.

O ALPENDRE NO CANAVIAL

1. Do alpendre sobre o canavial
   a vida se dá tão vazia
   que o tempo dali pode ser
   sentido: e na substância física.

   Do alpendre, o tempo pode ser
   sentido com os cinco sentidos
   que ali depressa se acostumam
   a tê-la ao lado, como um bicho.

   Ou porque no deserto, em volta,
   da cana oceânica e sem ilhas,
   os poros, mais ávidos, se abram
   e a alma se faça menos fibra,

   ou porque ele próprio, o tempo,
   por contraste com a vida rala,
   se condense, se faça coisa,
   que se vê, se escuta, se apalpa.

   Como quer que seja: a verdade
   é que o tempo ali pode mesmo
   ser sentido, literalmente,
   e até como *sabor e cheiro:*

cheiro de fumo, de fumaça,
de queimado, de coisa extinta,
como o de uma coivara longe,
extinta mas fumaçando ainda,

cheiro sempre de coisa extinta,
qual se o tempo fosse resíduo,
já nos tocasse já passado,
apenas com o rasto, já ido,

cheiro que às vezes mais se adensa
e é sabor leve, e sobre a língua,
de cheiro longe de fumaça
se faz sabor leve de cinza.

2. Do ermo que vai em derredor,
das várzeas de cana somente,
passarinhos buscando pouso
vêm aterrissar neste alpendre.

Onde cada um com a receita
herdada dentro da família,
se põe a demonstrar que o tempo
não soa sempre em água lisa.

O tempo então é mais que coisa:
é coisa capaz de linguagem,
e que ao passar vai expressando
as formas que tem de passar-se.

Patativas, papa-capins,
xexéus, concrises, curiós:
é então que se *escuta* o tempo
que passa e o diz, de viva voz.

Sabiás, canários-da-terra,
cantando de estalo e corrido:
uns gaguejando, qual telégrafo,
outros contínuos, como um trilho.

Sanhaçus, galos-de-campina,
ferreiros, com ferro no estilo:
todos vêm mostrar como passa,
em sintaxes de todo tipo,

o tempo que de nós se perde
sem que lhe armemos alçapão,
nem mesmo agora que parece
passar ao alcance da mão,

nem mesmo agora que chegou
tão perto, tão familiarmente,
certo atraído pela sesta
avarandada deste alpendre.

3. Se no alpendre é a hora do trem
que vai à estação do lugar,
o tempo para de correr:
começa a se depositar.

Então, dir-se-ia que o tempo
interrompe toda carreira,
entorpecido pela tensão
do mundo à espera e à espreita.

Então, dir-se-ia que o tempo
tem cãibras, ou fica crispado,
impedido de fluir livre
entre esperas, bolsas de vácuo.

Então, ele faz tão espesso
que é *palpável* sua substância;
tão espessa que ao apalpá-la
se tomaria por membrana;

tão espessa que até parece
que já nunca mais se dissolve;
tão espessa como se a espera
não fosse de trem mas de morte.

(Quando mais espessa, eis que o trem
com a explosão, a histeria,
bruta e de ferro, de cidade,
rompe a membrana distendida.

E só depois que ele reparte
com sua exaltação maníaca
é que os rotos fiapos duros
de tempo coalhado em bexiga,

voltam a diluir-se no vazio
que vai diluindo, dia a dia,
ferros velhos de uma paisagem
posta à margem, fora da via).

4. Deste alpendre num meio-dia
caindo no mundo de chapa,
é que se chega a *ver* que o tempo
sabe moderar a passada.

Tudo então se deixa tão lento,
só presente, tudo tão lasso,
que o próprio tempo se abandona
e perde a esquivança de pássaro.

E se não chega a se deter,
gavião-peneira, imóvel no ar,
ele assume a câmara lenta
que é da preguiça, do embuá,

e esse caminhar mais viscoso
de mel de engenho, água em remanso,
o gesto enorme da borracha,
borracha de pássaro manso.

Então o alpendre e a bagaceira
se transformam em laboratório:
pois vistas a esse tempo lento,
como se sob um microscópio,

as coisas se fazem mais amplas,
mais largas, ou mais largamente,
e deixam ver os interstícios
que a olho nu o olho não sente,

e que há na textura das coisas
por compactas que sejam elas;
laboratório: que parece
tornar as coisas mais abertas

para que as entremos por entre,
através, do fundo, do centro;
laboratório: onde se aprende
a apreender as coisas por dentro.

O RELÓGIO

1. Ao redor da vida do homem
   há certas caixas de vidro,
   dentro das quais, como em jaula,
   se ouve palpitar um bicho.

   Se são jaulas não é certo;
   mais perto estão das gaiolas
   ao menos, pelo tamanho
   e quebradiço da forma.

   Umas vezes, tais gaiolas
   vão penduradas nos muros;
   outras vezes, mais privadas,
   vão num bolso, num dos pulsos.

   Mas onde esteja: a gaiola
   será de pássaro ou pássara:
   é alada a palpitação,
   a saltação que ela guarda;

   e de pássaro cantor,
   não pássaro de plumagem:
   pois delas se emite um canto
   de uma tal continuidade

que continua cantando
se deixa de ouvi-lo a gente:
como a gente às vezes canta
para sentir-se existente.

2. O que eles cantam, se pássaros,
é diferente de todos:
cantam numa linha baixa,
com voz de pássaro rouco;

desconhecem as variantes
e o estilo numeroso
dos pássaros que sabemos,
estejam presos ou soltos;

têm sempre o mesmo compasso
horizontal e monótono,
e nunca, em nenhum momento,
variam de repertório:

dir-se-ia que não importa
a nenhum ser escutado.
Assim, que não são artistas
nem artesãos, mas operários

para quem tudo o que cantam
é simplesmente trabalho,
trabalho rotina, em série,
impessoal, não assinado,

de operário que executa
seu martelo regular
proibido (ou sem querer)
do mínimo variar.

3. A mão daquele martelo
nunca muda de compasso.
Mas tão igual sem fadiga,
mal deve ser de operário;

ela é por demais precisa
para não ser mão de máquina,
e máquina independente
de operação operária.

De máquina, mas movida
por uma força qualquer
que a move passando nela,
regular, sem decrescer:

quem sabe se algum monjolo
ou antiga roda de água
que vai rodando, passiva,
graças a um fluido que a passa;

que fluido é ninguém vê;
da água não mostra os senões:
além de igual, é contínuo,
sem marés, sem estações.

E porque tampouco cabe
por isso, pensar que é o vento,
há de ser um outro fluido
que a move: quem sabe, o tempo.

4. Quando por algum motivo
a roda de água se rompe,
outra máquina se escuta:
agora, de dentro do homem;

outra máquina de dentro,
imediata, a reveza,
soando nas veias, no fundo
de poça no corpo, imersa.

Então se sente que o som
da máquina, ora interior,
nada possui de passivo,
de roda de água: é motor;

se descobre nele o afogo
de quem, ao fazer, se esforça,
e que ele, dentro, afinal,
revela vontade própria,

incapaz, agora, dentro,
de ainda disfarçar que nasce
daquela bomba motor
(coração, noutra linguagem)

que, sem nenhum coração,
vive a esgotar, gota a gota,
o que o homem, de reserva,
possa ter na íntima poça.

A EDUCACÃO PELA PEDRA
(1962-1965)

O MAR E O CANAVIAL

O que o mar sim aprende do canavial:
a elocução horizontal de seu verso;
a geórgica de cordel, ininterrupta,
narrada em voz e silêncio paralelos.
O que o mar não aprende do canavial:
a veemência passional da preamar;
a mão de pilão das ondas na areia,
moída e miúda, pilada do que pilar.

*

O que o canavial sim aprende do mar:
o avançar em linha rasteira da onda;
o espraiar-se minucioso, de líquido,
alagando cova a cova onde se alonga.
O que o canavial não aprende do mar:
o desmedido do derramar-se da cana;
o comedimento do latifúndio do mar,
que menos lastradamente se derrama.

O SERTANEJO FALANDO

A fala a nível do sertanejo engana:
as palavras dele vêm, como rebuçadas
(palavras confeito, pílula), na glace
de uma entonação lisa, de adocicada.
Enquanto que sob ela, dura e endurece
o caroço de pedra, a amêndoa pétrea,
essa árvore pedrenta (o sertanejo)
incapaz de não se expressar em pedra.

2.

Daí por que o sertanejo fala pouco:
as palavras de pedra ulceram a boca
e no idioma pedra se fala doloroso;
o natural desse idioma fala à força.
Daí também por que ele fala devagar:
tem de pegar as palavras com cuidado,
confeitá-las na língua, rebuçá-las;
pois toma tempo todo esse trabalho.

A EDUCAÇÃO PELA PEDRA

Uma educação pela pedra: por lições;
para aprender da pedra, frequentá-la;
captar sua voz inenfática, impessoal
(pela de dicção ela começa as aulas).
A lição de moral, sua resistência fria
ao que flui e a fluir, a ser maleada;
a de poética, sua carnadura concreta;
a de economia, seu adensar-se compacta:
lições da pedra (de fora para dentro,
cartilha muda), para quem soletrá-la.

*

Outra educação pela pedra: no Sertão
(de dentro para fora, e pré-didática).
No Sertão a pedra não sabe lecionar,
e se lecionasse, não ensinaria nada;
lá não se aprende a pedra: lá a pedra,
uma pedra de nascença, entranha a alma.

NAS COVAS DE BAZA

O cigano desliza por encima da terra
não podendo acima dela, sobrepairado;
jamais a toca, sequer calçadamente,
senão supercalçado: de cavalo, carro.
O cigano foge da terra, de afagá-la,
dela carne nua ou viva, no esfolado;
lhe repugna, ele que pouco a cultiva,
o hálito sexual da terra sob o arado.

2.

De onde quem sabe, o cigano das covas
dormir na entranha da terra, enfiado;
dentro dela, e nela de corpo inteiro,
dentros mais de ventre que de abraço.
Contudo, dorme na terra uterinamente,
dormir de feto, não o dormir de falo;
escavando a cova sempre, para dormir
mais longe da porta, sexo inevitável.

NAS COVAS DE GUADIX[8]

O cigano desliza por encima da terra
não podendo acima dela, sobrepairado;
lhe repugna, ele que pouco a cultiva,
o hálito sexual da terra sob o arado.
Contudo, dorme na terra uterinamente,
dormir de feto, não o dormir de falo;
dentro dela, e nela de corpo inteiro,
dentros mais de ventre que de abraço.

*

O cigano foge da terra, de afagá-la,
dela carne nua ou viva, no esfolado;
jamais a toca, sequer calçadamente,
senão supercalçado: de cavalo, carro.
De onde quem sabe, o cigano das covas
dormir na entranha da terra, enfiado;
escavando a cova sempre, para dormir
mais longe da porta, sexo inevitável.

TECENDO A MANHÃ

Um galo sozinho não tece uma manhã:
ele precisará sempre de outros galos.
De um que apanhe esse grito que ele
e o lance a outro; de um outro galo
que apanhe o grito que um galo antes
e o lance a outro; e de outros galos
que com muitos outros galos se cruzem
os fios de sol de seus gritos de galo,
para que a manhã, desde uma teia tênue,
se vá tecendo, entre todos os galos.

2.

E se encorpando em tela, entre todos,
se erguendo tenda, onde entrem todos,
se entretendendo para todos, no toldo
(a manhã) que plana livre de armação.
A manhã, toldo de um tecido tão aéreo
que, tecido, se eleva por si: luz balão.

FÁBULA DE UM ARQUITETO[9]

A arquitetura como construir portas,
de abrir; ou como construir o aberto;
construir, não como ilhar e prender,
nem construir como fechar secretos;
construir portas abertas, em portas;
casas exclusivamente portas e tecto.
O arquiteto: o que abre para o homem
(tudo se sanearia desde casas abertas)
portas por-onde, jamais portas-contra;
por onde, livres: ar luz razão certa.

2.

Até que, tantos livros o amedrontando,
renegou dar a viver no claro e aberto.
Onde vãos de abrir, ele foi amurando
opacos de fechar; onde vidro, concreto;
até refechar o homem: na capela útero,
com confortos de matriz, outra vez feto.

CATAR FEIJÃO

Catar feijão se limita com escrever:
jogam-se os grãos na água do alguidar
e as palavras na da folha de papel;
e depois, joga-se fora o que boiar.
Certo, toda palavra boiará no papel,
água congelada, por chumbo seu verbo:
pois para catar esse feijão, soprar nele,
e jogar fora o leve e oco, palha e eco.

2.

Ora, nesse catar feijão entra um risco:
o de que entre os grãos pesados entre
um grão qualquer, pedra ou indigesto,
um grão imastigável, de quebrar dente.
Certo não, quando ao catar palavras:
a pedra dá à frase seu grão mais vivo:
obstrui a leitura fluviante, flutual,
açula a atenção, isca-a com risco.

RIOS SEM DISCURSO

Quando um rio corta, corta-se de vez
o discurso-rio de água que ele fazia;
cortado, a água se quebra em pedaços,
em poços de água, em água paralítica.
Em situação de poço, a água equivale
a uma palavra em situação dicionária:
isolada, estanque no poço dela mesma,
e porque assim estanque, estancada;
e mais: porque assim estancada, muda,
e muda porque com nenhuma comunica,
porque cortou-se a sintaxe desse rio,
o fio de água por que ele discorria.

*

O curso de um rio, seu discurso-rio,
chega raramente a se reatar de vez;
um rio precisa de muito fio de água
para refazer o fio antigo que o fez.
Salvo a grandiloquência de uma cheia
lhe impondo interina outra linguagem,
um rio precisa de muita água em fios
para que todos os poços se enfrasem:
se reatando, de um para outro poço,
em frases curtas, então frase e frase,
até a sentença-rio do discurso único
em que se tem voz a seca ele combate.

O HOSPITAL DA CAATINGA

O poema trata a Caatinga de hospital
não porque esterilizada, sendo deserto;
não por essa ponta do símile que liga
deserto e hospital: seu nu asséptico.
(Os areais lençol, o madapolão areal,
os leitos duna, as dunas enfermaria,
que o timol do vento e o sol formol
vivem a desinfetar, de morte e vida).

2.

O poema trata a Caatinga de hospital
pela ponta oposta do símile ambíguo;
por não deserta e sim, superpovoada;
por se ligar a um hospital, mas nisso.
Na verdade, superpovoa esse hospital
para bicho, planta e tudo que subviva,
a melhor mostra de estilos de aleijão
que a vida para sobreviver se cria,
assim como dos outros estilos que ela,
a vida, vivida em condições de pouco,
monta, se não cria: com o esquelético
e o atrofiado, com o informe e o torto;
estilos de que a catingueira dá o estilo
com seu aleijão poliforme, imaginoso;
tantos estilos, que se toma o hospital
por uma clínica ortopédica, ele todo.

O SOL EM PERNAMBUCO

(O sol em Pernambuco leva dois sóis,
sol de dois canos, de tiro repetido;
o primeiro dos dois, o fuzil de fogo,
incendeia a terra: tiro de inimigo).
O sol ao aterrissar em Pernambuco,
acaba de voar dormindo o mar deserto
dormiu porque deserto; mas ao dormir
se refaz, e pode decolar mais aceso;
assim, mais do que acender incendeia,
para rasar mais desertos no caminho;
ou rasá-los mais, até um vazio de mar
por onde ele continue a voar dormindo.

*

Pinzón diz que o cabo *Rostro Hermoso*
(que se diz hoje de Santo Agostinho)
cai pela terra de mais luz da terra
(mudou o nome, sobrou a luz a pino);
dá-se que hoje dói na vida tanta luz:
ela revela real o real, impõe filtros:
as lentes negras, lentes de diminuir,
as lentes de distanciar, ou do exílio.
(O sol em Pernambuco leva dois sóis,
sol de dois canos, de tiro repetido;
o segundo dos dois, o fuzil de luz,
revela real a terra: tiro de inimigo).

PARA A FEIRA DO LIVRO

Folheada, a folha de um livro retoma
o lânguido e vegetal da folha folha,
e um livro se folheia ou se desfolha
como sob o vento a árvore que o doa;
folheada, a folha de um livro repete
fricativas e labiais de ventos antigos,
e nada finge vento em folha de árvore
melhor do que vento em folha de livro.
Todavia a folha, na árvore do livro,
mais do que imita o vento, profere-o:
a palavra nela urge a voz, que é vento,
ou ventania varrendo o podre a zero.

*

Silencioso: quer fechado ou aberto,
inclusive o que grita dentro; anônimo:
só expõe o lombo, posto na estante,
que apaga em pardo todos os lombos;
modesto: só se abre se alguém o abre,
e tanto o oposto do quadro na parede,
aberto a vida toda, quanto da música,
viva apenas enquanto voam suas redes.
Mas apesar disso e apesar de paciente
(deixa-se ler onde queiram), severo:
exige que lhe extraiam, o interroguem;
e jamais exala: fechado, mesmo aberto.

MUSEU DE TUDO
(1966-1974)

O MUSEU DE TUDO

Este museu de tudo é museu
como qualquer outro reunido;
como museu, tanto pode ser
caixão de lixo ou arquivo.
Assim, não chega ao vertebrado
que deve entranhar qualquer livro:
é depósito do que aí está,
se fez sem risca ou risco.

A LUZ EM JOAQUIM CARDOZO[10]

Escrever de Joaquim Cardozo
só pode quem conhece
aquela luz Velásquez
de onde nasceu e de que escreve.

A luz que das várzeas da Várzea
onde nasceu, redonda,
vem até o ex-Cais de Santa Rita
que viveu: luz redoma,

luz espaço, luz que se veste,
leve como uma rede,
e clara, até quando preside
o cemitério e a sede.

DÍPTICO

A verdade é que na poesia   *The aged eagle*[11]
de seu depois dos cinquenta,
nessa meditação areal
em que ele se desfez, quem tenta

encontrará ainda cristais,
formas vivas, na fala frouxa,
que devolvem seu dom antigo
de fazer poesia com coisas.

*

Na Mauritânia só deserto,   *La rose de sable*
no seu texto de areia frouxa,
se descobre a *rose de sable*,
cristal de verso em plena prosa.

Rosa de areia, se fez forma,
se fez rosa, areia empedrada;
aglutinou sua areia solta,
se vertebrou numa metáfora.

NO CENTENÁRIO DE MONDRIAN[12]

1 ou 2

Quando a alma já se dói
do muito corpo a corpo
com o em volta confuso,
sempre demais, amorfo,

se dói de lutar contra
o que é inerte e a luta,
coisas que lhe resistem
e estão vivas, se mudas,

para chegar ao pouco
em que umas poucas coisas
revelem-se, compactas,
recortadas e todas,

e chegar entre as poucas
à coisa coisa e ao miolo
dessa coisa, onde fica
seu esqueleto ou caroço,

que então tem de arear
ao mais limpo, ao perfil
asséptico e preciso
do extremo do polir,

ou senão despolir
até o texto da estopa
ou até o grão grosseiro
da matéria de escolha;

pois quando a alma já arde
da afta ou da azia
que dá a lucidez brasa,
a atenção carne viva,

quando essa alma já tem
por sobre e sob a pele
queimaduras do sol
que teve de incender-se

e começa a ter cãibras
pelo esforço de dentro
de manter esse sol
que lhe mantém o incêndio,

centrada na ideia fixa
de chegar ao que quer
para o quê que ela faz
seja o que deve ser:

então só essa pintura
de que foste capaz
apaga as equimoses
que a carne da alma traz

e apaga na alma a luz,
ácida, do sol de dentro,
ao mostrar-lhe o impossível
que é atingir teu extremo.

      2 ou 1

Quando a alma se dispersa
em todas as mil coisas
do enredado e prolixo
do mundo à sua volta,

ou quando se dissolve
nas modorras da música,
no invertebrado vago,
sem ossos, de água em fuga,

ou quando se empantana
num alcalino demais
que adorme o ácido vivo
que rói porém que faz,

ou quando a alma borracha
tem os músculos lassos
e é incapaz de molas
para atirar-se ao faço:

então, só essa pintura
de que foste capaz,
de que excluíste até
o nada, por demais,

e onde só conservaste
o léxico conciso
de teus perfis quadrados
a fio, e também fios,

pois que, por bem cortados,
ficam cortantes ainda
e herdam a agudeza
dos fios que os confinam,

então, só essa pintura
de cores em voz alta,
cores em linha reta,
despidas, cores brasa,

só tua pintura clara,
de clara construção,
desse construir claro
feito a partir do não,

pintura em que ensinaste
a moral pela vista
(deixando o pulso manso
dar mais tensão à vida),

só essa pintura pode,
com sua explosão fria,
incitar a alma murcha,
de indiferença ou acídia,

e lançar ao fazer
a alma de mãos caídas,
e ao fazer-se, fazendo
coisas que a desafiam.

O ARTISTA INCONFESSÁVEL

Fazer o que seja é inútil.
Não fazer nada é inútil.
Mas entre fazer e não fazer
mais vale o inútil do fazer.
Mas não, fazer para esquecer
que é inútil: nunca o esquecer.
Mas fazer o inútil sabendo
que ele é inútil, e bem sabendo
que é inútil e que seu sentido
não será sequer pressentido,
fazer: porque ele é mais difícil
do que não fazer, e dificil-
mente se poderá dizer
com mais desdém, ou então dizer
mais direto ao leitor Ninguém
que o feito o foi para ninguém.

CATECISMO DE BERCEO[13]

1. Fazer com que a palavra leve
pese como a coisa que diga,
para o que isolá-la de entre
o folhudo em que se perdia.

2. Fazer com que a palavra frouxa
ao corpo de sua coisa adira:
fundi-la em coisa, espessa, sólida,
capaz de chocar com a contígua.

3. Não deixar que saliente fale:
sim, obrigá-la à disciplina
de proferir a fala anônima,
comum a todas de uma linha.

4. Nem deixar que a palavra flua
como rio que cresce sempre:
canalizar a água sem fim
noutras paralelas, latente.

RESPOSTA A VINICIUS DE MORAES[14]

Camarada diamante!

Não sou um diamante nato
nem consegui cristalizá-lo:
se ele te surge no que faço
será um diamante opaco
de quem por incapaz do vago
quer de toda forma evitá-lo,
senão com o melhor, o claro,
do diamante, com o impacto:
com a pedra, a aresta, com o aço
do diamante industrial, barato,
que incapaz de ser cristal raro
vale pelo que tem de cacto.

EL TORO DE LIDIA

1. Um *toro de lidia* é como um rio
   na cheia. Quando se abre a porta,
   que a custo o comporta, e o touro
   estoura na praça, traz o touro a cabeça
   alta, de onda, aquela primeira onda
   alta, da cheia, que é como o rio,
   na cheia, traz a cabeça de água.
   Tem então o touro o mesmo atropelar
   cego da água; mesmo murro de montanha
   dentro de sua água; a mesma pedra
   dentro da água de sua montanha: como o rio,
   na cheia, tem de pedra a cabeça de água.

2. Um *toro de lidia* é ainda um rio
   na cheia. Quando no centro da praça,
   que ele ocupa toda e invade, o touro
   afinal para, pode o toureiro navegá-lo
   como água; e pode então mesmo fazê-lo
   navegar, assim como, passada a cabeça
   da cheia, a cheia pode ser navegada.
   Tem então o touro os mesmos redemoinhos
   da cheia; mas neles é possível embarcar,
   até mesmo fazer com que ele embarque:
   que é o que se diz do touro que o toureiro
   leva e traz, faz ir e vir, como puxado.

(1962)

EXCEÇÃO: BERNANOS,[15] QUE SE DIZIA ESCRITOR DE SALA DE JANTAR

Por que é o mesmo o pudor
de escrever e defecar?
Não há o pudor de comer,
de beber, de incorporar,
e em geral tem mais pudor
quem pede do que quem dá.
Então por que quem escreve,
se escrever é afinal dar,
evita gente por perto
e procura se isolar?

Escrever é estar no extremo
de si mesmo, e quem está
assim se exercendo nessa
nudez, a mais nua que há,
tem pudor de que outros vejam
o que deve haver de esgar,
de tiques, de gestos falhos,
de pouco espetacular
na torta visão de uma alma
no pleno estertor de criar.

(Mas no pudor do escritor
o mais curioso está
em que o pudor de fazer
é impudor de publicar:
com o feito, o pudor se faz
se exibir, se demonstrar,
mesmo nos que não fazendo
profissão de confessar,
não fazem para se expor
mas dar a ver o que há.)

A ESCOLA DAS FACAS
(1980)

O QUE SE DIZ AO EDITOR
A PROPÓSITO DE POEMAS

Eis mais um livro (fio que o último)
de um incurável pernambucano;
se programam ainda publicá-lo,
digam-me, que com pouco o embalsamo.

É preciso logo embalsamá-lo:
enquanto ele me conviva, vivo,
está sujeito a cortes, enxertos:
terminará amputado do fígado,

terminará ganhando outro pâncreas;
e se o pulmão não pode outro estilo
(esta dicção de tosse e gagueira),
me esgota, vivo em mim, livro-umbigo.

Poema nenhum se autonomiza
no primeiro ditar-se, esboçado,
nem no construí-lo, nem no passar-se
a limpo do dactilografá-lo.

Um poema é o que há de mais instável:
ele se multiplica e divide,
se pratica as quatro operações
enquanto em nós e de nós existe.

Um poema é sempre, como um câncer:
que química, cobalto, indivíduo
parou os pés desse potro solto?
Só o mumificá-lo, pô-lo em livro.

AUTOCRÍTICA

Só duas coisas conseguiram
(des)feri-lo até a poesia:
o Pernambuco de onde veio
e o aonde foi, a Andaluzia.
Um, o vacinou do falar rico
e deu-lhe a outra, fêmea e viva,
desafio demente: em verso
dar a ver Sertão e Sevilha.

A ESCOLA DAS FACAS

O alíseo ao chegar ao Nordeste
baixa em coqueirais, canaviais;
cursando as folhas laminadas,
se afia em peixeiras, punhais.

Por isso, sobrevoada a Mata,
suas mãos, antes fêmeas, redondas,
ganham a fome e o dente da faca
com que sobrevoa outras zonas.

O coqueiro e a cana lhe ensinam,
sem pedra-mó, mas faca a faca,
como voar o Agreste e o Sertão:
mão cortante e desembainhada.

A VOZ DO CANAVIAL

Voz sem saliva da cigarra,
do papel seco que se amassa,

de quando se dobra o jornal:
assim canta o canavial,

ao vento que por suas folhas,
e navalha a navalha, soa,

vento que o dia e a noite toda
o folheia, e nele se esfola.

A VOZ DO COQUEIRAL

O coqueiral tem seu idioma:
não o de lâmina, é voz redonda:

é em curvas sua reza longa,
decerto aprendida das ondas,

cujo sotaque é o da sua fala,
côncava, curva, abaulada:

dicção do mar com que convive
na vida alísea do Recife.

AUTOBIOGRAFIA DE UM SÓ DIA

No Engenho Poço não nasci:
minha mãe, na véspera de mim,

veio de lá para a Jaqueira,
que era onde, queiram ou não queiram,

os netos tinham de nascer,
no quarto-avós, frente à maré.

Ou porque chegássemos tarde
(não porque quisesse apressar-me,

e se soubesse o que teria
de tédio à frente, abortaria)

ou porque o doutor deu-me quandos,
minha mãe no quarto-dos-santos,

misto de santuário e capela,
lá dormiria, até que para ela,

fizessem cedo no outro dia
o quarto onde os netos nasciam.

Porém em pleno Céu de gesso,
naquela madrugada mesmo,

nascemos eu e minha morte,
contra o ritual daquela Corte

que nada de um homem sabia:
que ao nascer esperneia, grita.

Parido no quarto-dos-santos,
sem querer, nasci blasfemando,

pois são blasfêmias sangue e grito
em meio à freirice de lírios,

mesmo se explodem (gritos, sangue),
de chácara entre marés, mangues.

DESCOBERTA DA LITERATURA

No dia a dia do engenho,
toda a semana, durante,
cochichavam-me em segredo:
saiu um novo romance.
E da feira do domingo
me traziam conspirantes
para que os lesse e explicasse
um romance de barbante.
Sentados na roda morta
de um carro de boi, sem jante,
ouviam o folheto guenzo,
a seu leitor semelhante,
com as peripécias de espanto
preditas pelos feirantes.
Embora as coisas contadas
e todo o mirabolante,
em nada ou pouco variassem
nos crimes, no amor, nos lances,
e soassem como sabidas
de outros folhetos migrantes,
a tensão era tão densa,
subia tão alarmante,
que o leitor que lia aquilo
como puro alto-falante,
e, sem querer, imantara

todos ali, circunstantes,
receava que confundissem
o de perto com o distante,
o ali com o espaço mágico,
seu franzino com o gigante,
e que o acabassem tomando
pelo autor imaginante
ou tivesse que afrontar
as brabezas do brigante.
(E acabaria, não fossem
contar tudo à Casa-grande:
na moita morta do engenho,
um filho-engenho, perante
cassacos do eito e de tudo,
se estava dando ao desplante
de ler letra analfabeta
de corumba, no caçanje
próprio dos cegos de feira,
muitas vezes meliantes).

MENINO DE ENGENHO

A cana cortada é uma foice.
Cortada num ângulo agudo,
ganha o gume afiado da foice
que a corta em foice, um dar-se mútuo.

Menino, o gume de uma cana
cortou-me ao quase de cegar-me,
e uma cicatriz, que não guardo,
soube dentro de mim guardar-se.

A cicatriz não tenho mais;
o inoculado, tenho ainda;
nunca soube é se o inoculado
(então) é vírus ou vacina.

FORTE DE ORANGE, ITAMARACÁ

A pedra bruta da guerra,
seu grão granítico, hirsuto,
foi toda sitiada por
erva-de-passarinho, musgo.
Junto da pedra que o tempo
rói, pingando como um pulso,
inroído, o metal canhão
parece eterno, absoluto.
Porém o pingar do tempo
pontual, penetra tudo;
se seu pulso não se sente,
bate sempre, e pontiagudo,
e a guerrilha vegetal
no seu infiltrar-se mudo,
conta com o tempo, suas gotas
contra o ferro inútil, viúvo.
E um dia os canhões de ferro,
seu tesão vão, dedos duros,
se renderão ante o tempo
e seu discurso, ou decurso:
ele fará, com seu pingo
inestancável e surdo,
que se abracem, se penetrem,
se possuam, ferro e musgo.

MOENDA DE USINA

Clássica, a cana se renega
ante a moenda (morte) da usina:
nela, antes esbelta, linear,
chega despenteada e sem rima.
(Jogada às moendas dos banguês,
onde em feixes de estrofes ia,
não protestava contra a morte
nem contra o que a morte seria).
Na usina, ela cai de guindastes,
anárquica, sem simetria:
e até que as navalhas da moenda
quebrando-a, afinal, a paginam,
a cana é trovoada, troveja,
perde a elegância, a antiga linha,
estronda com o sotaque gago
de metralhadora, desvaria.
Não fossem as saias de ferro
da ante-moenda que a canalizam,
quebrar-lhe os ossos baralhados
faria explodir toda a usina.
Nas moendas derradeiras tomba
já mutilada, em ordem unida:
não é mais a cana multidão
que ao tombar é povo e não fila;
ao matadouro final chega
em pelotão que se fuzila.

AS FRUTAS DE PERNAMBUCO

Pernambuco, tão masculino,
que agrediu tudo, de menino,

é capaz das frutas mais fêmeas
e da femeeza mais sedenta.

São ninfomaníacas, quase,
no dissolver-se, no entregar-se,

sem nada guardar-se, de puta.
Mesmo nas ácidas, o açúcar,

é tão carnal, grosso, de corpo,
de corpo para o corpo, o coito,

que mais na cama que na mesa
seria cômodo querê-las.

DE VOLTA
AO CABO DE SANTO AGOSTINHO

Sem a luz não se explicaria
um Pernambuco que existia,

e seja a mesma luz, sem quebra,
hoje é uma luz que não desperta.

Certo, são as facas mais vivas
as que se fazem à sua vista;

mas está menos insofrido
o quem de lá, e menos crítico,

como se a luz, antes mais crua,
já não desse a ver, nua e crua,

o filme que vê em seu trajeto:
por não haver encontrado eco

ou por ver a inutilidade
de ter dado a ver, dos debates

que fez nascer, dos protestos
a que deu unhas para os gestos.

AUTO DO FRADE
– poema para vozes –
(excertos: falas de Frei Caneca)
(1984)

FREI CANECA:

– Acordo fora de mim
como há tempos não fazia.
Acordo claro, de todo,
acordo com toda a vida,
com todos cinco sentidos
e sobretudo com a vista
que dentro dessa prisão
para mim não existia.
Acordo fora de mim:
como fora nada eu via,
ficava dentro de mim
como vida apodrecida.
Acordar não é de dentro,
acordar é ter saída.
Acordar é reacordar-se
ao que em nosso redor gira.
Mesmo quando alguém acorda
para um fiapo de vida,
como o que, tanto aparato
que me cerca me anuncia:
esse bosque de espingardas
mudas, mas logo assassinas,
sempre à espera dessa voz

que autorize o que é sua sina,
esses padres que as invejam
por serem mais efetivas
que os sermões que passam largo
dos infernos que anunciam.
Essas coisas ao redor
sim me acordam para a vida,
embora somente um fio
me reste de vida e dia.
Essas coisas me situam
e também me dão saída;
ao vê-las me vejo nelas,
me completam, convividas.
Não é o inerte acordar
na cela negra e vazia:
lá não podia dizer
quando velava ou dormia.

FREI CANECA:

– Se é procissão que me fazem
mudou muito a liturgia:
não vejo andor para o santo,
nem há nenhum santo à vista.
Vejo muita gente armada,
vejo só uma confraria.
E tudo é muito formal
para ser uma romaria.
Talvez seja só um enterro
em que o morto caminharia,
que não vai entre seis tábuas
mas entre seis carabinas.
Irmãos da Misericórdia,
com sua bandeira e insígnias,
me acompanham no desfile
no andar triste de batinas,
com passadas de urubu
como sempre eles imitam,
o andar de grua dos padres
e da gente da justiça.
E essa tropa de soldados
formados para ordem unida,
que cerca o morto, não vá
escapar da cerva viva,
pendurada pelas casas

ou de pé pelas cornijas.
Dessa gente sei dizer
quem Manuel e quem Maria,
quem boticário ou caixeiro,
e sua mesma freguesia.
Cada casa dessas ruas
é também amiga íntima,
posso dizer a cor que era,
que no ano passado tinha.
E essa gente que nas ruas
de cada lado se apinha
(neste estranho dia santo
em que ninguém comercia),
a gente que dos telhados
tudo o que vai vê de cima.

OFICIAL E FREI CANECA:

– De que fala Reverendíssimo
  como se num sermão de missa?
– De toda essa luz do Recife.
  Louvava-a nesta despedida.
– Ouvi-o falar em voz alta,
  como se celebrasse missa.
  Vi que a gente pelas calçadas
  como num sermão, calada, ouvia.
– Tanto passei por essas ruas
  que fiz delas minhas amigas.
  Agora, lavadas de chuva,
  vejo-as mais frescas do que eu cria.
– Um condenado não pode falar.
  Condenado à morte, perde a língua.
– Passarei a falar em silêncio.
  Assim está salva a disciplina.

FREI CANECA:

– Sob o céu de tanta luz
que aqui é de praia ainda,
leve, clara, luminosa
por vir do Pina e de Olinda,
que jogam verde e azul
sob o sol de alma marinha,
sob o sol inabitável
que dirá Sofia[16] um dia,
vou revivendo os quintais
que dispensam sesta amiga
detrás das fachadas magras
com sombras gordas e líquidas.
E se não ouço os pregões,
vozes das cidades, vivas,
revivendo tantas coisas
vale qualquer despedida.
Sei que acordei para pouco
e que entre a cela sinistra
onde só a luz das caveiras
com luz própria reluzia,
e o outro telão de sono
que cai e que não se bisa,
é estreita a nesga de tempo
para que se chame vida.
E as ruas de São José

com que mais eu convivia,
que passeava sem prever
o passeio deste dia.
Eu sei que no fim de tudo
um poço cego me fita.
Difícil é pensar nele
neste passeio de um dia,
neste passeio sem volta
(meu bilhete é só de ida).
Mas por estreita que seja,
dela posso ver o dia,
dia Recife e Nordeste
gramática e geometria,
de beira-mar e Sertão
onde minha vida um dia.

FREI CANECA:

– O raso Fora-de-Portas
de minha infância menina,
onde o mar era redondo,
verde-azul, e se fundia
com um céu também redondo
de igual luz e geometria!
Girando sobre mim mesmo,
girava em redor a vista
pelo imenso meio-círculo
de Guararapes a Olinda.
Eu era um ponto qualquer
na planície sem medida,
em que as coisas recortadas
pareciam mais precisas,
mais lavadas, mais dispostas
segundo clara justiça.
Era tão clara a planície,
tão justas as coisas via,
que uma cidade solar
pensei que construiria.
Nunca pensei que tal mundo
com sermões o implantaria.
Sei que traçar no papel
é mais fácil que na vida.
Sei que o mundo jamais é

a página pura e passiva.
O mundo não é uma folha
de papel, receptiva:
o mundo tem alma autônoma,
é de alma inquieta e explosiva.
Mas o sol me deu a ideia
de um mundo claro algum dia.
Risco nesse papel praia,
em sua brancura crítica,
que exige sempre a justeza
em qualquer caligrafia;
que exige que as coisas nele
sejam de linhas precisas;
e que não faz diferença
entre a justeza e a justiça.

FREI CANECA:

– Dentro desta cela móvel,
do curral de gente viva,
dentro da cela ambulante
que me prende mas caminha,
posso olhar de cada lado,
para baixo e para cima.
Eis as pedras do Recife
que o professo carmelita,
embora frade descalço,
sente na sola despida.
Como estou vendo melhor
essa grade, essa cornija,
o azulejo mal lavado,
a varanda retorcida!
Parece que melhor vejo,
que levo lentes na vista;
se antes tudo isso milvi,
as coisas estão mais nítidas.
Andando nesse Recife
que me sobrará da vida,
sinto na sola dos pés
que as pedras estão mais vivas,
que as piso como descalço,
sinto as arestas e a fibra.
Embora a viva melhor,

como mais dentro, mais íntima,
como será o Recife
que será? Não há quem diga.
Terá ainda urupemas,
xexéus, galos-de-campina?
Terá estas mesmas ruas?
Para sempre elas estão fixas?
Será imóvel, mudará
como onda noutra vertida?
Debaixo dessa luz crua,
sob um sol que cai de cima
e é justo até com talvezes
e até mesmo todavias,
quem sabe um dia virá
uma civil geometria?

FREI CANECA:

– Esta alva de condenado
substituiu-me a batina.
Não penso que ainda venha
a vestir outra camisa.
Certo também é mortalha
e nela sairei da vida.
Não sei por que aos condenados
vestem sempre esta batina,
como se a forca fizesse
disso a questão mais estrita.
Será que a morte é de branco
onde coisa não habita,
ou se habita, dá na soma
uma brancura negativa?
Ou será que é uma cidade
toda de branco vestida,
toda de branco caiada
como Córdoba e Sevilha,
como o branco sobre branco
que Malevitch nos pinta
e com os ovos de Brancusi
largados pelas esquinas?
Se essa mortalha branca
é bilhete que habilita
a essa morte, eu que a receio

entro nela com alegria.
Temo a morte, embora saiba
que é uma conta devida.
Devemos todos a Deus
o preço de nossa vida
e a pagamos com a morte
(o poeta inglês já dizia).
Nessa contabilidade
morte e vida se equilibram,
e embora no livro-caixa,
e também nas estatísticas,
apareça favorável,
e sempre, o saldo da vida,
no dia do fim do mundo
serão iguais as partidas.

AGRESTES
(1981-1985)

THE RETURN OF THE NATIVE[17]

1

Como já não poderá dar-se
a volta a casa do nativo
que acabará num chão sulino
onde muito pouco assistiu,

para fingir a volta a casa
desenrola esse carretel
que sabe é de um fio de estopa
(desenrolado, vira mel).

2

Em quase tudo de que escreve,
como se ainda lá estivesse,
há um Pernambuco que nenhum
pernambucano reconhece.

Quando seu discurso é esse espaço
de que fala, de longe e velho,
o seu é um discurso arqueológico,
que não está nem em Mario Melo[18].

3

O Pernambuco de seu bolso
(que é onde vai sua ideia de céu)
como um cão no bolso, é distinto
do que vê quem que o conviveu:

é um falar em fotografia
a quem o vive no cinema;
mesmo que tudo esteja igual,
a voz tem cheiro de alfazema.

4

Assim, é impossível de dar-se
a volta a casa do nativo.
Não acha a casa nem a rua,
e quem não morreu, dos amigos,

amadureceu noutros sóis:
não fala na mesma linguagem
e estranha que ele estranhe a esquina
em que construíram tal desastre.

DÚVIDAS APÓCRIFAS DE MARIANNE MOORE[19]

Sempre evitei falar de mim,
falar-me. Quis falar de coisas.
Mas na seleção dessas coisas
não haverá um falar de mim?

Não haverá nesse pudor
de falar-me uma confissão,
uma indireta confissão,
pelo avesso, e sempre impudor?

A coisa de que se falar
até onde está pura ou impura?
Ou sempre se impõe, mesmo impura-
mente, a quem dela quer falar?

Como saber, se há tanta coisa
de que falar ou não falar?
E se o evitá-la, o não falar,
é forma de falar da coisa?

O BAOBÁ COMO CEMITÉRIO

Pelo inteiro Senegal,
o túmulo dos *griots*,
misto de poeta, lacaio
e alugado historiador,
se cava no tronco obeso
de um baobá do arredor:
ele é a só urna capaz.
com seu maternal langor,
de adoçar o hálito ruim,
todo o vinagre e amargor
que, debaixo da lisonja,
tem a saliva do cantor.

CEMITÉRIO NA CORDILHEIRA[20]

Os cemitérios não têm muros,
e as tumbas sem ter quem as ordene
foram como que surpreendidas
ao arrumar-se, e de repente.
Pela Cordilheira, os carneiros
são carneiros, literalmente,
se espalham soltos, sem pastor,
sem geometrias, como a gente.

MORRER DE AVIÃO

Morrer de morte de avião,
muito embora a sem razão,

seria, certo, muito bem,
se a morte a tantos alguéns

tratasse com a faca fina
ou a demão da guilhotina,

que é limpa e cai de repente,
tão viva quanto a gilete.

Mas ela nunca diz nada,
nem lê a sentença que mata;

quer que cada passageiro
sinta morrer-se no leito.

Por isso obriga o avião
a certo voar de gavião,

a voar em círculos de vida,
disfarçando sua caída,

demorando-a até o mais lento
para que quem vai lá dentro

goze da satisfação
de uma última refeição.

O POSTIGO

A Theodomiro Tostes,
confrade,
colega, amigo

1

Agora, aos sessenta e mais anos,
quarenta e três de estar em livro,
peço licença para fechar,
como fizeste,[21] *meu postigo.*

Não há nisso nada de hostil:
poucos foram tão bem tratados
como o escritor dessas plaquetes
que se escreviam sem mercado.

Também, ao fechar o postigo,
não privo de nada ninguém:
não vejo fila em minha frente,
não o estou fechando contra alguém.

2

O que acontece é que escrever
é ofício dos menos tranquilos:
se pode aprender a escrever,
mas não a escrever certo livro.

Escrever jamais é sabido;
o que se escreve tem caminhos;
escrever é sempre estrear-se
e já não serve o antigo ancinho.

Escrever é sempre o inocente
escrever do primeiro livro.
Quem pode usar da experiência
numa recaída de tifo?

3

Aos sessenta, o pulso é pesado:
faz sentir alarmes de dentro.
Se o queremos forçar demais,
ele nos corta o suprimento

de ar, de tudo, e até da coragem
para enfrentar o esforço intenso
de escrever, que entretanto lembra
o de dona bordando um lenço.

Aos sessenta, o escritor adota,
para defender-se, saídas:
ou o mudo medo de escrever
ou o escrever como se mija.

4

Voltaria a abrir o postigo,
não a pedido do mercado,
se escrever não fosse de nervos,
fosse coisa de dicionários.

Viver nervos não é higiene
para quem já entrado em anos:
quem vive nesse território
só pensa em conquistar os quandos:

o tempo é para ele uma vela
que decerto algum subversivo
acendeu pelas duas pontas
e se acaba em duplo pavio.

CRIME NA CALLE RELATOR
(1985-1987)

CRIME NA CALLE RELATOR

"Achas que matei minha avó?
O doutor à noite me disse:
ela não passa desta noite;
melhor para ela, tranquilize-se.

À meia-noite ela acordou;
não de todo, a sede somente;
e pediu: *Dáme pronto, hijita,
una poquita de aguardiente.*

Eu tinha só dezesseis anos;
só, em casa com a irmã pequena:
como poder não atender
a ordem da avó de noventa?

Já vi gente ressuscitar
com simples gole de cachaça
e *arrancarse por bulerías*[22]
gente da mais encorujada.

E mais: se o doutor já dissera
que da noite não passaria,
por que negar uma vontade
que a um condenado se faria?

Fui a esse bar do Pumarejo
quase esquina de San Luís;
comprei de fiado uma garrafa
de aguardente (*cazalla* e anis)

que lhe dei cuidadosamente
como uma poção de farmácia,
medida, como uma poção,
como não se mede a cachaça;

que lhe dei com colher de chá
como remédio de farmácia:
Hijita, bebí lo bastante,
disse com ar de comungada.

De manhã acordou já morta,
e embora fria e de madeira,
tinha defunta o riso ainda
que a aguardente lhe acendera."

O FERRAGEIRO DE CARMONA

Um ferrageiro de Carmona
que me informava de um balcão:
"Aquilo? É de ferro fundido,
foi a fôrma que fez, não a mão.

Só trabalho em ferro forjado,
que é quando se trabalha ferro;
então, corpo a corpo com ele,
domo-o, dobro-o até o onde quero.

O ferro fundido é sem luta,
é só derramá-lo na fôrma.
Não há nele a queda de braço
e o cara a cara de uma forja.

Existe grande diferença
do ferro forjado ao fundido;
é uma distância tão enorme
que não pode medir-se a gritos.

Conhece a Giralda em Sevilha?
Decerto subiu lá em cima.
Reparou nas flores de ferro
dos quatro jarros das esquinas?

Pois aquilo é ferro forjado.
Flores criadas numa outra língua.
Nada têm das flores de fôrma
moldadas pelas das campinas.

Dou-lhe aqui humilde receita,
ao senhor que dizem ser poeta:
o ferro não deve fundir-se,
nem deve a voz ter diarreia.

Forjar: domar o ferro à força,
não até uma flor já sabida,
mas ao que pode até ser flor
se flor parecer a quem o diga."

SEVILHA ANDANDO
(1987-1989)

CIDADE DE NERVOS

Qual o segredo de Sevilha?
Saber existir nos extremos
como levando dentro a brasa
que se reacende a qualquer tempo.

Tem a tessitura da carne
na matéria de suas paredes,
boa ao corpo que a acaricia:
que é feminina sua epiderme.

E tem o esqueleto, essencial
a um poema ou um corpo elegante,
sem o qual sempre se deforma
tudo o que é só de carne e sangue.

Mas o esqueleto não pode,
ele que é rígido e de gesso,
reacender a brasa que tem dentro:
Sevilha é mais que tudo nervo.

SEVILHA ANDANDO

Só com andar pode trazer
a atmosfera Sevilha, cítrea,
o formigueiro em festa
que faz o vivo de Sevilha.

Ela caminha qualquer onde
como se andasse por Sevilha.
Andaria até mesmo o inferno
em mulher da *Panadería*.

Uma mulher que sabe ser
mulher e centro do ao redor,
capaz de na *calle* Regina
ou até num claustro ser o sol.

Uma mulher que sabe ser-se
e ser Sevilha, ser sol, desafia
o ao redor, e faz do ao redor
astros de sua astronomia.

SOL NEGRO

Acordar é voltar a ser,
re-acender como num escuro cúbico;
e os primeiros passos que dou
em meu re-ser são inseguros.

Re-ser em tal escuridão
é como navegar sem bússola.
Eu a tenho ali, a meu lado,
num sol negro de massa escura:

que é a de tua cabeleira,
farol às avessas, sem luz,
e que me orienta a consciência
com a luz cigana que reluz.

A PRAÇA DE TOUROS DE SEVILHA

É a Praça de Touros barroca,
não do ferro comercial de outras.

Barroco alegre, de cal e ocre,
sem jogos fúnebres de morte.

Plena luz de um sol-de-cima,
nem diz da morte, que é sua sina.

É como um altar ao ar livre,
barroco, sem seus jogos tristes.

Ou, se o morrer, é o luminoso,
de sua areia quente, de ouro,

que para lá fora trazida
de Utrera, de Guadaíra.

Tem tanta luz que até encandeia
o touro que salta na arena,

a prata e o ouro do toureiro
e o espectador que foi vê-los.

Quando o touro salta do *corral*,
entra num sol tão natural

que se duvida se então entrou
sua morte ou a de seu *matador*.

CIDADE CÍTRICA

Sevilha é um grande fruto cítrico,
quanto mais ácido, mais vivo.

Em geral, as ruas e pátios
arborizam limões amargos.

Mas vem da cal de cores ácidas,
dos palácios como das taipas,

o sentir-se como na entranha
de luminosa, acesa laranja.

NOTAS

1) p. 18. Pintor francês (1896-1987), de linhagem cubista e, posteriormente, surrealista.

2) p. 30. Poeta francês (1876-1945), para Cabral mais instigante como teórico da poesia do que propriamente como criador.

3) p. 113. Poeta espanhol (1910-1942), morto na prisão sob o regime franquista.

4) p. 113. Hispanismo. "Paramera": região de páramos ou desertos.

5) p. 187. Variante de "seguidilla" (em português, "seguidilha"): estilo de dança flamenca executada ao som de violão e de castanholas.

6) p. 241. O título do poema termina por dois-pontos. Cabral, portanto, executa uma (declarada) "simulação discursiva" do ficcionista alagoano (1892-1953).

7) p. 243. O autor focaliza unicamente poetas e pintores, o que comprova, na obra cabralina, a grande sintonia entre a poesia e as artes plásticas.

8) p. 273. Este poema e o anterior ("Nas covas de Baza") se compõem exatamente dos mesmos versos, em sequência alterada.

9) p. 275. O poema se refere à capela de Ronchamps (França), que, para Cabral, representaria a antítese de todos os princípios que o arquiteto suíço-francês Le Corbusier (1887--1965) vinha até então defendendo.

10) p. 282. Escritor pernambucano (1897-1978), é de longe o poeta brasileiro mais referenciado e reverenciado na obra cabralina.

11) p. 283. Alusão ao poeta norte-americano naturalizado inglês T.S. Eliot (1888-1965). O verso "(Why should the aged eagle stretch its wings?)" se encontra no poema "Ash-Wednesday".

12) p. 284. Pintor holandês (1872-1944), cujas telas mais importantes se caracterizam pelas linhas retas e pelo emprego de cores puras. Adepto do rigor construtivo e da geometrização da pintura.

13) p. 290. Poeta espanhol (1180-1246), autor de obras com temas religiosos numa linguagem considerada tosca, rudimentar, e que, por isso mesmo, interessou a Cabral.

14) p. 291. O poeta carioca (1913-1980) descreveu Cabral, sem nomeá-lo, no poema "Retrato, à sua maneira", incluído na primeira edição (1954) de sua *Antologia poética*.

15) p. 293. A prolixidade do escritor francês Georges Bernanos (1888-1948) não se coaduna com o discurso cabralino, cuja poética, no entanto, transparece nos quatro versos finais do poema.

16) p. 315. Alusão à poetisa portuguesa Sophia de Mello Breyner Andresen (n. 1919). O verso "sob o clamor de um sol inabitável" se encontra no poema VI do segmento "As ilhas", no livro *Navegações*.

17) p. 323. Título tomado do romance homônimo de Thomas Hardy, publicado em 1878.

18) p. 323. Historiador pernambucano (1884-1959).

19) p. 325. Escritora norte-americana (1887-1972), muito valorizada por João Cabral pelo caráter despojado, objetivo e "prosaico" de sua poesia.

20) p. 327. Cordilheira dos Andes.

21) p. 330. Alude ao fato de Theodomiro Tostes, repentinamente, ter decidido abandonar a literatura.

22) p. 333. Erguer-se devido à dança flamenca de Jerez de la Frontera.

ÍNDICE

Uma introdução a João Cabral 7

PEDRA DO SONO (1940-1941)
Poema de desintoxicação 15
Marinha. 16
Poesia 17
A André Masson 18

O ENGENHEIRO (1942-1945)
As nuvens. 19
A bailarina. 20
O engenheiro. 21
A mesa 22
O poema 23
A lição de poesia. 25
Pequena ode mineral. 27
A Paul Valéry 30

PSICOLOGIA DA COMPOSIÇÃO com a
FÁBULA DE ANFION e ANTIODE (1946-1947)
Fábula de Anfion 32

Psicologia da composição. 42
Antiode (contra a poesia dita profunda) 49

O CÃO SEM PLUMAS (1949-1950) 56
(Paisagem do Capibaribe) 56
(Paisagem do Capibaribe) 61
(Fábula do Capibaribe) 67
(Discurso do Capibaribe) 72

O RIO (excertos) (1953) 77

PAISAGENS COM FIGURAS (1954-1955)
Imagens em Castela 98
O vento no canavial. 101
Pregão turístico do Recife. 104
Cemitério pernambucano (Toritama). 106
Cemitério pernambucano
   (São Lourenço da Mata) 107
Cemitério pernambucano
   (Nossa Senhora da Luz) 108
Alto do Trapuá 109
Encontro com um poeta 113

MORTE E VIDA SEVERINA
   (Auto de Natal Pernambucano) (1954-1955). . . . 115

UMA FACA SÓ LÂMINA
   (ou: serventia das ideias fixas) (1955) 169

QUADERNA (1956-1959)
Estudos para uma bailadora andaluza 187
Paisagem pelo telefone 197
A mulher e a casa. 200
Imitação da água. 202
História natural 204
"A palo seco" 208
Poema(s) da cabra. 215

DOIS PARLAMENTOS (excertos) (1958-1960)
Congresso no Polígono das Secas. 224
Festa na Casa-Grande. 230

SERIAL (1959-1961)
Escritos com o corpo. 236
Graciliano Ramos: 241
O sim contra o sim. 243
Velório de um comendador 250
O alpendre no canavial. 257
O relógio 264

A EDUCAÇÃO PELA PEDRA (1962-1965)
O mar e o canavial. 269
O sertanejo falando. 270
A educação pela pedra. 271
Nas covas de Baza 272
Nas covas de Guadix 273
Tecendo a manhã. 274

Fábula de um arquiteto........................ 275
Catar feijão................................... 276
Rios sem discurso............................. 277
O hospital da caatinga......................... 278
O sol em Pernambuco......................... 279
Para a feira do livro........................... 280

MUSEU DE TUDO (1966-1974)
O museu de tudo.............................. 281
A luz em Joaquim Cardozo.................... 282
Díptico.. 283
No centenário de Mondrian.................... 284
O artista inconfessável........................ 289
Catecismo de Berceo........................... 290
Resposta a Vinicius de Moraes................. 291
El toro de lidia.............................. 292
Exceção: Bernanos, que se dizia escritor de sala
 de jantar.................................... 293

A ESCOLA DAS FACAS (1980)
O que se diz ao editor a propósito de poemas.... 295
Autocrítica................................... 297
A escola das facas............................. 298
A voz do canavial............................. 299
A voz do coqueiral............................ 300
Autobiografia de um só dia.................... 301
Descoberta da literatura....................... 303
Menino de engenho........................... 305

Forte de Orange, Itamaracá 306
Moenda de usina. 307
As frutas de Pernambuco 308
De volta ao Cabo de Santo Agostinho. 309
AUTO DO FRADE – poema para vozes –
   (excertos: falas de Frei Caneca) (1984) 310

AGRESTES (1981-1985)
The Return of the Native 323
Dúvidas apócrifas de Marianne Moore 325
O baobá como cemitério 326
Cemitério na cordilheira 327
Morrer de avião 328
O postigo 330

CRIME NA CALLE RELATOR (1985-1987)
Crime na calle Relator 333
O ferrageiro de Carmona 335

SEVILHA ANDANDO (1987-1989)
Cidade de nervos 337
Sevilha andando 338
Sol negro 339
A praça de touros de Sevilha 340
Cidade cítrica 342

NOTAS 343

COLEÇÃO MELHORES CRÔNICAS

MACHADO DE ASSIS
Seleção e prefácio de Salete de Almeida Cara

JOSÉ DE ALENCAR
Seleção e prefácio de João Roberto Faria

MANUEL BANDEIRA
Seleção e prefácio de Eduardo Coelho

AFFONSO ROMANO DE SANT'ANNA
Seleção e prefácio de Letícia Malard

JOSÉ CASTELLO
Seleção e prefácio de Leyla Perrone-Moisés

MARQUES REBELO
Seleção e prefácio de Renato Cordeiro Gomes

CECÍLIA MEIRELES
Seleção e prefácio de Leodegário A. de Azevedo Filho

LÊDO IVO
Seleção do autor. Prefácio e notas de Gilberto Mendonça Teles

IGNÁCIO DE LOYOLA BRANDÃO
Seleção e prefácio de Cecilia Almeida Salles

MOACYR SCLIAR
Seleção e prefácio de Luís Augusto Fischer

ZUENIR VENTURA
Seleção e prefácio de José Carlos de Azeredo

RACHEL DE QUEIROZ
Seleção e prefácio de Heloisa Buarque de Hollanda

FERREIRA GULLAR
Seleção e prefácio de Augusto Sérgio Bastos

LIMA BARRETO
Seleção e prefácio de Beatriz Resende

OLAVO BILAC
Seleção e prefácio de Ubiratan Machado

ROBERTO DRUMMOND
Seleção e prefácio de Carlos Herculano Lopes

SÉRGIO MILLIET
Seleção e prefácio de Regina Salgado Campos

IVAN ANGELO
Seleção e prefácio de Humberto Werneck

AUSTREGÉSILO DE ATHAYDE
Seleção e prefácio de Murilo Melo Filho

HUMBERTO DE CAMPOS
Seleção e prefácio de Gilberto Araújo

JOÃO DO RIO
Seleção e prefácio de Edmundo Bouças e Fred Góes

COELHO NETO
Seleção e prefácio de Ubiratan Machado

JOSUÉ MONTELLO
Seleção e prefácio de Flávia Amparo

GUSTAVO CORÇÃO
Seleção e prefácio de Luiz Paulo Horta

MARCOS REY
Seleção e prefácio de Anna Maria Martins

ÁLVARO MOREYRA
Seleção e prefácio de Mario Moreyra

EUCLIDES DA CUNHA
Seleção e prefácio de Marco Lucchesi

RAUL POMPEIA
Seleção e prefácio de Claudio Murilo Leal

MARIA JULIETA DRUMMOND DE ANDRADE
Seleção e prefácio de Marcos Pasche

RUBEM BRAGA
Seleção e prefácio de Carlos Ribeiro

ARTUR AZEVEDO*
Seleção e prefácio de Orna Messe Levin e Larissa de Oliveira Neves

ODYLO COSTA FILHO*
Seleção e prefácio de Cecilia Costa

MARINA COLASANTI*
Seleção e prefácio de Marisa Lajolo

LUÍS MARTINS*
Seleção e prefácio de Ana Luísa Martins

PRELO

"... a ele mais que a ninguém cabe o título de nosso poeta exemplar – exemplar pelo que tem de genuína a sua conduta literária, em sua rigorosa e excepcional relevância para o destino das letras no mundo presente."

Décio Pignatari

"Foram os que na poesia mesma sentiram as contradições do mundo a cada palavra, a cada relação de palavras, que salvaram a situação e sustentaram a ideia da poesia criativa. João Cabral de Melo Neto, em primeiro lugar."

José Guilherme Merquior

"... uma atitude de vigilância e lucidez no que *fazer*, contrária ao *deixar-se fazer* do espontâneo e ao *saber fazer* do acadêmico."

Haroldo de Campos

"JCMN dá categoria estética a muito daquilo que, no chamado romance nordestino, tinha apenas categoria documentária."

Benedito Nunes

"A educação pela pedra é, quase poema a poema, uma obra-prima de meditação profunda e inesgotável."

Óscar Lopes